Für

Greg

zur Erinnerung an sein
Jahr in Deutschland !

Mit vielen guten Wünschen
von allen Daters

Heidelberg, 31. 10. 1984

GÜNTHER BINDING
UDO MAINZER · ANITA WIEDENAU
KLEINE KUNSTGESCHICHTE
DES DEUTSCHEN FACHWERKBAUS

GÜNTHER BINDING
UDO MAINZER · ANITA WIEDENAU

KLEINE KUNSTGESCHICHTE DES DEUTSCHEN FACHWERKBAUS

1975

WISSENSCHAFTLICHE BUCHGESELLSCHAFT
DARMSTADT

⬩ Bestellnummer: 6900

© 1975 by Wissenschaftliche Buchgesellschaft, Darmstadt
Satz: Maschinensatz Gutowski, Weiterstadt
Druck: Wissenschaftliche Buchgesellschaft, Darmstadt
Einband: C. Fikentscher, Darmstadt
Printed in Germany
Schrift: Linotype-Garamond, 9/11

ISBN 3-534-06900-5

INHALT

Vorwort VII

A. Allgemeiner Teil 1
   1. Einleitung 2
   2. Der Werkstoff 4
   3. Die Bearbeitung 6
   4. Das Handwerk 10
   5. Der Fachwerkbau 14
   6. Früh- und hochmittelalterlicher Fachwerkbau . . . 40
   7. Die Kirchen 45

B. Der alemannische Fachwerkbau 49

C. Der fränkische Fachwerkbau 93

D. Der niedersächsische Fachwerkbau (Udo Mainzer) . . . 147

E. Der mittel- und ostdeutsche Fachwerkbau 187

F. Glossar (Anita Wiedenau) 199
   1. Fachausdrücke 200
   2. Holzverbindungen 212

G. Literatur 227

Foto-Nachweis 237

Bauten-Verzeichnis 239

Tafelteil

Albrecht Dürer, Geburt Christi, Kupferstich 1504

VI

VORWORT

Die Aufforderung, in den 70er Jahren des 20. Jh. nach Erlaß des Städtebauförderungsgesetzes eine Kunstgeschichte des deutschen Fachwerkbaus zu schreiben, erscheint unzeitgemäß, wollte man nicht einen rein historischen Überblick geben. Andererseits wird immer deutlicher, welche weitreichenden Funktionen alte Bauten im urbanen Leben haben. So werden die Bemühungen um ihre Erhaltung, Gestaltung und um ein sachgerechtes Verständnis intensiviert. Sucht man in der reichlich vorhandenen Literatur nach Hilfestellung, so fühlt man sich recht schnell entmutigt, weil kontroverse Diskussionen über zumeist technische oder völkische Einzelprobleme den Blick auf das Ganze und das Verständnis als Bau- und Kunstwerk versperren und der reinen Freude am Schönen wenig Raum lassen. Allein das Blaue Buch von H. Phleps „Deutsche Fachwerkbauten" dient einer angemessenen Hinführung. Dennoch liegt das gesamte Material hervorragend aufbereitet vor; nur erscheinen uns heute die Autoren etwas suspekt, denn Carl Schäfer (1844–1905), Heinrich Walbe (1865–1954), Hermann Phleps (1877–1964), Otto Gruber (1884–1957) und Heinrich Winter (1899–1964), um nur einige zu nennen, gehören einer vergangenen, schon historischen Zeit an; ihre Werke sind im hohen Alter oder posthum zwischen 1937 und 1967 erschienen. Und dennoch, ohne die unübertroffenen Darstellungen der Altmeister deutscher Fachwerkforschung wäre es uns nicht vergönnt, eine Kunstgeschichte des deutschen Fachwerkbaus zu schreiben; unser Buch ist nicht mehr als eine Zusammenfassung ihrer Forschungen, an einigen Stellen sogar in wörtlicher Übernahme ihrer Formulierungen. Der zusammenfassende Beitrag „Fachwerk" von W. Sage im Reallexikon zur deutschen Kunstgeschichte 1972 gibt einen Überblick.

Trotz hervorragender Vorarbeiten war es mir neben Forschung und Lehre zeitlich nicht möglich, das Buch alleine zusammenzustellen. So haben Dr. Udo Mainzer den niedersächsischen Bereich und cand. phil. Anita Wiedenau das Glossar übernommen. Es war eine gute, kritische und anregende Zusammenarbeit. Ute Mechmann hat einen Teil der klischeefähigen Zeichnungen angefertigt. Mein besonderer Dank gilt den zahlreichen Fachkollegen, die ihr Material der Zentralstelle für Bürgerhausforschung an der Universität zu Köln zur Verfügung gestellt haben, aus dem wir so reichlich schöpfen konnten, und all denen, die den Aufbau dieser Zentralstelle finanziell unterstützen. Der Wissenschaftlichen Buchgesellschaft danke ich für die Aufforderung zu diesem Buch, das zu schreiben mir viel Freude bereitet hat. Möge die Darstellung zu einer pfleglichen Erhaltung der noch bestehenden Fachwerkhäuser durch bessere Beurteilung beitragen. Im Text wurde zumeist darauf verzichtet, heute nicht mehr erhaltene Häuser oder jüngere Veränderungen besonders zu erwähnen.

Bei dem Umfang des zu verarbeitenden Materials sind Fehler unvermeidbar; Fachleute und Heimatfreunde bitte ich deshalb, aus ihrer Ortskenntnis mich auf Ungenauigkeiten hinzuweisen, um sie bei einer eventuellen Neuauflage verbessern zu können.

Köln, im März 1974   Günther Binding

A. ALLGEMEINER TEIL

Z 1 Bau eines Fachwerkhauses, Holzschnitt des Petrarca-Meisters (Cicero, Officia, Augsburg um 1520).

Dorfszene mit Fachwerkhäusern (Sebastian Münster, Kosmographie, um 1550).

1

1. Einleitung

„Craticii vero velim quidem ne inventi essent; ..."

„Fachwerk, wünschte ich, wäre nie erfunden. Soviel Vorteil es nämlich durch die Schnelligkeit seiner Ausführung und durch die Erweiterung des Raumes bringt, um so größer und allgemeiner ist der Nachteil, den es bringt, weil es bereit ist, zu brennen wie Fackeln ... Auch macht das unter Verputz liegende Fachwerk durch die senkrechten und querliegenden Balken am Verputz Risse ... Aber da ja manche Leute sich doch zum Fachwerkbau gezwungen sehen, weil der Bau schnell vor sich gehen soll oder sie wenig Geld haben ... wird man folgendermaßen verfahren müssen: Die Schwelle unterbaue man so hoch, daß sie mit der Estrichmasse und dem Fußboden keine Berührung hat. Wenn die Balken nämlich in ihnen verschüttet sind, werden sie mit der Zeit morsch, sinken ab, neigen sich und zerstören die Schönheit des Putzes."

(Vitruv, Zehn Bücher über Architektur [Übs. C. Fensterbusch 1964]. Lib. II, cap. VIII, 20; verfaßt 1. Jh. v. Chr.)

> „Weg mit euch, mit den Wänden von Quadersteinen.
> Viel stolzer scheint mir, ein meisterlich Werk, hier der
> [gezimmerte Bau.
> Schützend bewahren vor Wetter und Wind die getäfelten Stuben.
> Nirgends duldet des Zimmerers Hand klaffenden Spalt!
> Luftig umziehen den Bau im Geviert die stattlichen Lauben,
> reich von des Meisters Hand spielend und künstlich geschnitzt."

(Venantius Fortunatus, Bischof von Poitiers, um 560.)

In Mitteleuropa war in vor- und frühgeschichtlicher Zeit der Holzbau allgemein verbreitet. Das erweisen die Ausgrabungen, das bezeugt Tacitus in seiner „Germania" und das bestätigt Venantius Fortunatus für rheinische Städte. Wohnbauten, Paläste und Kirchen waren aus Holz erbaut; erst allmählich fand der Steinbau Verwendung, aber noch im 17./18. Jh. wurden fürstliche Schlösser (Weilburg, Gießen, Coburg) und zahlreiche Bürgerhäuser in bedeutenden Städten (Straßburg, Hildesheim, Soest) in Fach-

2

werk ausgeführt. Im 18. Jh. nahm der traditionelle Fachwerkbau an zahlenmäßiger Bedeutung und gestalterischer Qualität ab; im 19. Jh., und hier besonders in der Mitte und zweiten Hälfte, erfolgte eine Wiederbelebung mit neuen Gestaltungselementen in einigen eindrucksvollen Bauschöpfungen. Zurück läßt sich der Fachwerkbau in seinen Entwicklungsphasen durch Ausgrabungsfunde nur recht allgemein verfolgen; die ältesten, datierbaren, aufrechtstehenden Fachwerkhäuser stammen aus dem 14. Jh. An die wenigen aus dem Mittelalter und den vielen aus der Übergangszeit erhaltenen Häusern schließen sich die späteren Fachwerke von der Mitte des 16. bis in das 18. Jh. an. Auf die lebhafte Entwicklung und Wandlung in der zweiten Hälfte des 15. Jh. und in der ersten Hälfte des 16. Jh. folgt eine lange Zeit der Beharrung. Die Grundformen des Fachwerks wandeln sich über 250 Jahre (Mitte 16. Jh.–1800) nicht mehr, nur das dekorative Beiwerk folgt den allgemeinen Stilwandlungen der Zeit.

Obwohl im Titel des Buches von Fachwerkbau und nicht von Hausbau und von Kunstgeschichte und nicht von Konstruktion gesprochen wird, also nach dem äußeren Erscheinungsbild der Fachwerkbauten gefragt ist, so muß dennoch das Baugefüge und der innere Aufbau behandelt werden, weil sie untrennbar mit der Außenwand verbunden sind, sie geben die Grundlage für die Gestaltung, für das optische Bild. Wieweit im Fachwerkbau künstlerischer Einfluß wirksam ist, wieweit Stilfragen auch am Holzbau ablesbar sind, das wird je nach Standort unterschiedlich beurteilt. Für uns gilt zwar die enthusiastische Heimatverbundenheit nicht, wie sie H. Walbe noch 1954 formuliert: „Keine Bauweise ist wahrhaftiger als der Holzbau", oder H. Phleps 1967: „Diese beseelte Würde und selbstsichere, nicht angekränkelte Kraft des Einfachen gebietet Ehrfurcht und Schweigen, wie sie uns vor der klassischen Herbheit und Schönheit jeder reifen und unverbildeten Kunst auch in ihren geringsten Zeugen anrühren." Für uns ist der deutsche Fachwerkbau ein dem Steinbau gleichwertiges Glied im überlieferten Bauschaffen der Vergangenheit, Forschungsobjekt für konstruktive und gestalterische Entwicklungsfragen und wohl in erster Linie ästhetisch-optisches Reizobjekt im erlebten Raum unserer Städte und Dörfer.

2. Der Werkstoff

Holz ist ein Gewebe aus verschiedenartigen pflanzlichen Zellen, die zu Fasern in der Längsrichtung verbunden sind. Die Zellen sind mit Wasser gefüllt. Der wachsende Baum nimmt mit seinen Wurzeln Wasser mit darin gelösten mineralischen Bestandteilen aus dem Boden auf; dieses wird im äußeren Holz des Stammes, dem Splintholz, emporgedrückt. Zwischen dem Holz und der Rinde liegt die Kambiumschicht, die den in den Nadeln und Blättern gebildeten und wasserlöslichen Zucker abwärts führt und so den Baum ernährt. Die Zellteilung (das Wachstum) in der Kambiumschicht beginnt im Frühjahr und endet im Hochsommer. Alle im gleichen Jahr gebildeten Zellen liegen um den Stamm herum und fügen sich zu einem Jahresring. Klima und Bodenverhältnisse beeinflussen die Güte des Holzes: je trockener, um so langsamer gewachsen, dadurch engere Jahresringe, also größere Festigkeit. Der Kreislauf der Säfte wird durch die Verkernung des Holzes unterbrochen, sie erhöht die Festigkeit und Dauerhaftigkeit des Holzes. Ein Baum ist „reif", wenn die Verkernung fortgeschritten ist und ein Nachlassen der Saftzufuhr einsetzt. Ein Baum darf nicht im Safttrieb, also im Frühjahr oder Sommer, gefällt werden, da sonst nachteilige Schwundrisse beim Austrocknen entstehen. Holz schwindet in der Querrichtung bis zu 15mal mehr als in der Längsrichtung. „Das Bauholz muß vom Beginn des Herbstes an bis zu der Zeit, da der Westwind zu wehen beginnt, geschlagen werden. Im Frühling nämlich werden die Bäume schwanger, und alle geben die ihnen eigentümlichen guten Eigenschaften an das Laub und die jährlich wiederkehrenden Früchte ab." (Vitruv, Lib. II, cap. IX, 1.) Die markgräflich baden-badensche Verordnung vom 5. Juni 1566 bestimmt, daß Eichenholz von Jakobi bis Hornung (25. Juli bis Februar), daß Tannenholz aber solange, als der Saft noch nicht eingetreten oder größtenteils verdickt sei, und zwei bis drei Tage vor oder nach dem Neumonde und bei trockener Witterung geschlagen werden dürfe. Eine ähnliche Verordnung erläßt König Ferdinand 1557 für die vorderösterreichischen Lande. In den fürstenbergischen Gebieten durfte das Holz erst nach Michaelis (29. September) geschlagen werden. Solches reifes und im Winter gefälltes Holz wurde in römischer und mittelalterlicher Zeit im frischen Zustand verarbeitet.

Für den Holzbau wurde in erster Linie das kurzfaserige, harte Holz der Eiche verwendet; sie wird 160–200 Jahre alt, bis 40 m hoch und 2 m dick; sie ist sehr dauerhaft und witterungsbeständig, schwindet nur wenig und läßt sich leicht spalten. Aber auch das langfaserige, weiche, elastische Holz der Fichte und Tanne fand Verwendung; die Fichte wird 100–120 Jahre alt, bis 50 m hoch und 1,30 m dick; die Tanne bis 450 Jahre alt, 60 m hoch und 1,20 m dick.

Mit Härte bezeichnet man den Widerstand, den das Holz dem Eindringen eines anderen Gegenstandes entgegensetzt, mit Festigkeit den Widerstand, den das Holz seiner Zertrümmerung entgegensetzt: Druck-, Zug-, Scher-, Biegungs- und Verdrehungsfestigkeit. Der Widerstand gegen das Spalten ist bei den einzelnen Holzarten sehr verschieden; ein Spalten senkrecht zur Faser ist nicht möglich. Gegen das Schneiden mit der Säge leisten weiche, langfaserige Hölzer einen größeren Widerstand als harte. Die größte Festigkeit setzt das Holz dem Zerreißen parallel zur Faser entgegen; senkrecht zur Faser ist die Zugfestigkeit sehr gering. Auch die Druckfestigkeit ist parallel zur Faser bedeutend größer als senkrecht dazu. Die Biegungsfestigkeit, bei der Druck- und Zugspannungen auftreten, muß natürlich zwischen diesen beiden Arten von Festigkeit liegen. Als Durchlaufträger ist das Holz eine materialsparende Raumüberdeckung. Gut in den Boden verankert, kann das Holz bei verhältnismäßig dünnem Querschnitt durch Seitendruck (Wind) auftretende Biegebeanspruchung aufnehmen. Das Holz hat unter allen natürlichen Werkstoffen die ausgewogensten statischen Eigenschaften und läßt sich verhältnismäßig einfach bearbeiten.

3. Die Bearbeitung

Z 1–7   Darstellungen des Zimmermanns bei seiner Tätigkeit und mit seinen Werkzeugen gibt es verhältnismäßig häufig. Die Geräte haben seit der römischen Zeit bis zum Ende des 19. Jh. keine entscheidende Wandlung erfahren.

Bis gegen Ende des 18. Jh. wurden die Bäume mit der beid-
Z 2   händig geführten langstieligen (Schrot-)Axt gefällt, entästet und besäumt; erst 1748 verfügt das Fürstlich Fürstenbergische Amt, daß das Holz nicht mehr geschrotet, sondern gesägt werden soll;
Z 2   dem widersprechen aber die Holzhauer. Mit Axt und Holzham-
Z 3   mer werden die Stämme gespalten und mit der Quersäge (Bund-
Z 2   säge) zerteilt. Mit dem in der Regel einhändig geführten und zumeist nur einseitig geschärften Beil, teilweise mit hammerartig verstärktem Kopf, werden die Hölzer behauen und verzimmert, dabei folgt der Beilschlag dem Faserverlauf des Wachstums und schafft so eine glatte Oberfläche. Das über 30 cm breite Breitbeil
Z 2   mit leicht gekrümmter Schneide wird beidhändig oder einhändig
Z 5   geführt und dient nach Schnurschlägen zum Beschlagen von Balken und Bohlen, die auf Holzböcke (Haublöcke oder Zimmer-
Z 1   blöcke) aufgelegt werden. Mit der Rahmen- oder Klobensäge,
Z 2   später auch mit der Schrot- oder Spaltsäge werden Balken zu
Z 3   Brettern geschnitten, mit der Spannsäge (Örter- oder Schließsäge) Bohlen und Bretter abgelängt und mit dem Fuchsschwanz und der Stich- oder Lochsäge Holzverbindungen ausgeformt. Mit Zweraxt (ähnlich einem Kreuzpickel), Stemmeisen und Hammer werden Zapfenlöcher und Profile hergestellt und mit dem Löffelbohrer die Löcher für die Holznägel gebohrt. Zum Glätten dienen Hobel, Feile und Sandsteine. Reißstift, Richtscheit, Stechzirkel, Zollstock
Z 6   und Schnurhaspel mit Farbkasten sorgen für gerade Kanten, rechte Winkel und Maßhaltigkeit.

Z 2 Links: Mönch und Laienbruder beim Entästen und Fällen eines Baumes (St. Gregorii magni Moralia in Job. Citeaux, Anfang 12. Jh.).

Unten: Zwei Mönche beim Spalten eines Baumes (wie vor). Zimmerleute mit Breitbeil und Axt (Dresden 13. Jh.).

Oben: Zimmerleute beim Zersägen eines Balkens zu Brettern mit der Rahmensäge (Monreale um 1185) und der Spannsäge (Hrabanus Maurus, De origine rerum 1023).

7

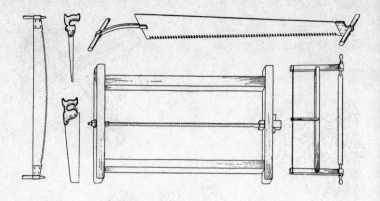

Z 3 Quersäge, Fuchsschwanz, Stichsäge, Rahmensäge, Spannsäge und
oben Schrot- oder Spaltsäge (Phleps, Blockbau, Abb. 58).

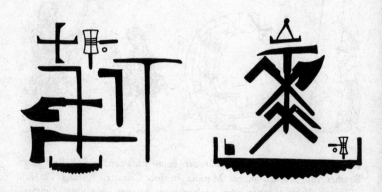

Z 4 Holl, Gasthaus zum Hirschen und Prechtal, Raubauernhof. Haus-
zeichen mit Werkzeug des Zimmermanns (Schilli, Schwarzwaldhaus,
Fig. 22, 23).

8

Z 5 Holzschnitt von Hans Burgkmaier, in: Der Weisskunig, 1517.

„Wie der jung weiß kunig lernet die gepew mit zimerwerck", wie
also Kaiser Maximilian in seiner Jugend lernt, Gebäude aus Holz zu
errichten. Maximilian, langgekleidet, hält in seiner linken Hand eine
Bundsäge. Die beiden Zimmerleute haben eine Bohle auf zwei Haublöcke aufgebockt. Der linke Zimmermann hat einen Winkel (Richtscheit) aufgelegt, am Gürtel trägt er eine Ledertasche und eine Spitzsäge,
der rechte Zimmermann setzt mit dem links geführten Breitbeil an, die
Kante der Bohle zu besäumen; er hat in den Gürtel Spitzsäge und
Stechzirkel gesteckt. Vorne liegen am Boden Schnurhaspel mit Farbtopf
und ein Beil.

4. Das Handwerk

Der Zimmerer oder Zimmermann (lateinisch tignarius, carpentarius) war sehr früh ein eigener Berufsstand, wie Bischof Wulfilas um 350 in seiner Bibelübersetzung für die Goten und Sokrates Scholasticus für die Burgunden bestätigen. Die Handwerksorganisation mündet in die Zünfte, die mit dem Aufkommen der Städte im 12. Jh. entstehen, sich mit deren Wachstum entwickeln und ihre höchste Blüte in der Zeit erreichen, da die Städte im 15./16. Jh. auf dem Gipfel ihrer Macht stehen. Die Bedeutung der Zünfte geht dann allmählich zurück, wobei die Zimmerleute fast bis in unsere Tage ihre Organisationsform zu bewahren gewußt haben.

Die aufstrebenden Städte waren auf die Handwerker angewiesen, so wurde der Zuzug dieser unentbehrlichen Kräfte durch die Aussicht auf Freiheit und Bürgerrecht nach einjährigem Stadtaufenthalt begünstigt. Erst später, wenn sie in ausreichender Zahl am Ort vorhanden waren, wurde zur Sicherung des Arbeitsfeldes der Zuzug von der Zunft kontrolliert und eingeschränkt. Die Zunft, der der Handwerker zwangsweise angehörte, hatte schon seit dem 12. Jh. Schlichtungs- und Kontrollaufgaben, zog Steuern ein und wurde zum Heeresdienst herangezogen. Die strengste und damit angesehenste Ordnung erreichten die Zünfte, wenn sie die Stufe eines „geschworenen Handwerks" erhielten, z. B. in Nürnberg erst 1510 gleichzeitig mit den Steinmetzen.

Im 14. Jh. ist der Lehrzwang allgemein eingeführt. Der Lehrling muß von ehelicher und freier Geburt und deutschen Ursprungs sein und seit dem Westfälischen Frieden auch einem der anerkannten (also christlichen) Glaubensbekenntnisse angehören. Der Lehrjunge zahlte bei dreijähriger Lehrzeit 24 Gulden an den Lehrherrn, der nach dem Aufdingen ihn in seine Familie aufnahm und Vaterrechte ausübte. Nach Abschluß der dreijährigen Lehrzeit wurde der Lehrjunge feierlich losgesprochen und mußte als Geselle mindestens zwei Jahre auf Wanderschaft gehen, für die eine Marschroute nicht vorgeschrieben war. Er verdingte sich bei verschiedenen fremden Meistern, die ihm durch die örtliche Zunftorganisation vermittelt wurden. Wenn er in seine Heimatstadt

Z 6 Herzog Johann von der Pfalz, Eyn schön nützlich büchlin und underweisung der kunst des Messens. Simmern, H. Rodler, 1531. Holzschnitt.

zurückkehrte, ging er in festen Lohn zu einem Meister und gehörte damit zu dessen Familie. Die Mietdauer war in der Regel auf sechs Monate festgelegt, das Ziel war gewöhnlich vierzehn Tage vor Ostern oder Michaelis. Seit dem ausgehenden 15. Jh. schlossen sich auch die Gesellen zu Gesellschaften oder Bruderschaften zusammen und zogen mit der Schenke das Recht der Arbeitsvermittlung an sich. Die Gesellenschaft eines jeden geschenkten Handwerks, also auch der Zimmerleute, bildete einen über das ganze deutsche Reich und die Schweiz ausgedehnten Bund mit gleichen Gesetzen und Gewohnheiten.

Die tägliche Arbeitszeit war durch die Zünfte festgelegt. Sie begann bei den Zimmerleuten allgemein morgens um 5 Uhr, im Winter später und endete abends um 7 Uhr bzw. bei Einsetzen der Dunkelheit. Für die drei gebräuchlichsten Mahlzeiten, Morgensuppe, Mittagsmahl und Vesperbrot, standen ausreichend Freizeit zur Verfügung, so daß eine tägliche Arbeitszeit zwischen zehn und zwölf Stunden anzunehmen ist. Die Entlohnung mit barem Geld fand samstags zur Mittagspause oder nach Feierabend statt. An Sonn- und Festtagen, wie auch zumeist am halben Montag ruhte die Arbeit. Der „blaue" Montag sollte den Gesellen ermöglichen, ein Bad zu nehmen und ihre Zusammenkünfte abzuhalten. In Nürnberg gingen die Zimmergesellen 1425 alle vierzehn Tage eine Stunde vor der Zeit von der Arbeit zum Baden. Das Baden kostete um 1450 in Nürnberg 3 Pfennig bei einem Tageslohn von 16 Pfennig im Sommer und 12 Pfennig im Winter.

Hatte der Geselle eine Anzahl Jahre – Sitzjahre – in der Stadt bei einem Meister gearbeitet, konnte er um das Meisterrecht „muten", was bis zu drei Jahren dauern konnte. Er mußte das Bürgerrecht erwerben und ein Meisterstück anfertigen. Die mit der Anfertigung verbundenen Kosten, die Meistergebühr und der Meisterschmaus verursachten eine hohe Verschuldung des jungen Meisters; oder er mußte eine Meisterwitwe heiraten, um so die Stellung zu erhalten.

Der Zimmermann.

Z 7 Holzschnitt von Jost Amman, in: Eygentliche Beschreibung aller Stände uff Erden. Frankfurt/Main 1568.

5. Der Fachwerkbau

Zeitliche und landschaftliche Besonderheiten führen im Holzbau zu konstruktiven und stilistischen Gruppenbildungen. Vornehmlich in prähistorischer Zeit finden wir zwischen Pfosten eingespannte Flechtwerkwände. Der mittelalterliche und neuzeitliche Holzbau wird nach konstruktiven Merkmalen in Massivbau und Skelettbau geschieden. Im Massivbau kennen wir in den Alpenländern und in Nordosteuropa den Blockbau oder Schrotbau, bei dem liegende behauene oder unbehauene Hölzer zu tragenden Wänden geschichtet sind und durch mehr oder weniger komplizierte Holzverbindungen zusammengehalten werden, in Nord- und Mitteleuropa den Palisadenbau, bei dem eingegrabene, und den Ständer- und Stabbau, bei dem auf Schwellen aufgesetzte senkrechte Hölzer die tragende Wand bilden. Beim Skelettbau besteht das tragende Gerüst aus untereinander verbundenen senkrechten, waagerechten und schrägen Hölzern; die von ihnen eingeschlossenen Gefache sind beim Ständerbohlenbau mit aussteifenden Holzbohlen und im Fachwerk mit flexiblem Material (lehmbeworfenem Flechtwerk, Mauerwerk aus Bruchstein oder Ziegeln) geschlossen. Die beim alemannischen Holzbau anzutreffende Mischbauweise bezeugt die enge Verwandtschaft zwischen Ständerbohlenwand und Fachwerkwand, so daß es – auch auf Grund von frühgeschichtlichen Beispielen – notwendig ist, bei einer kunstgeschichtlichen Betrachtungsweise den Holzskelettbau als Ganzes ohne Rücksicht auf das Material der Ausfachung mit Fachwerk zu bezeichnen, wie auch im deutschen Wörterbuch das Fachwerk „als durch Balken eingeschlossene Abteilung einer Mauer" im Gegensatz zum Massivbau definiert wird. Die unterschiedlichen Konstruktionen sind auf die jeweilige Beschaffenheit des zur Verfügung stehenden Holzes zurückzuführen. In den europäischen Landschaften, in denen langwüchsige Nadelhölzer, vor allem Lärche und Fichte, vorherrschen, entwickelt sich der Blockbau; der Fachwerkbau hingegen in den Landschaften mit überwiegendem Laubholzvorkommen.

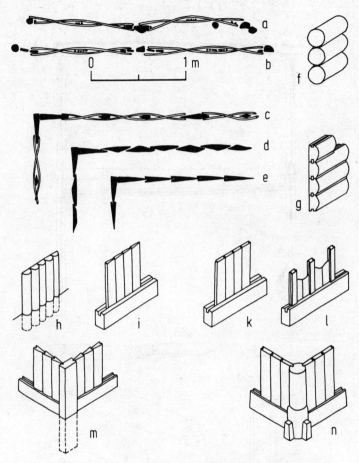

Z 8 Wandkonstruktionen (Binding, Mechmann nach Vorlagen).
a Flechtwand mit Pfosten.   *b* Flechtwand mit Pfosten und Spaltbohlen.   *c* Flechtwand mit Spaltbohlen.   *d* Spaltbohlenwand (Pali-
sadenwand).   *e* genutete Spaltbohlenwand (Stabbau).   *f* Blockwand
aus Rundstämmen.   *g* Blockwand aus Halbhölzern mit Feder.   *h* Pali-
sadenwand.   *i* Stabwand mit Keilspundung.   *k* Stabwand mit Federspundung.   *l* Stabwand mit Zwischenstützen (Ständerstabbau).   *m* Stabwand mit Keilspundung, Eckpfosten und Schwellriegel.   *n* Stabwand
mit Federspundung, Eckständer und Schwellriegel.

15

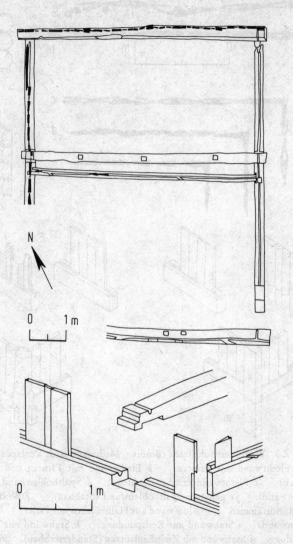

N

0   1 m

0   1 m

Z 9 Haus Meer bei Büderich/Kr. Grevenbroich, Stabbau, 11./12. Jh.
Maßstab 1 : 50, 1 : 100 (Mechmann nach Müller-Wille).

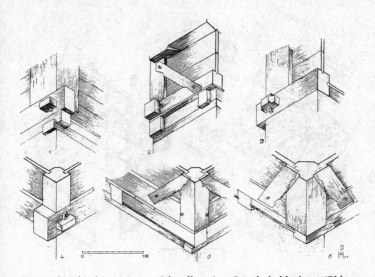

Z 10 Eckverbindungen von Schwellen im Ständerbohlenbau (Phleps, Alem. Holzbau, Abb. 26).
1, 2, 3 und 5 aus dem Schwarzwald, 4 aus Schondorf am Ammersee, 6 vom Rathaus auf der Reichenau.

Bei dem Ständerbohlenbau erscheinen als Hauptkonstruktionsteile die Schwellen, die die Wand tragen, die an den Kreuzungsstellen errichteten, gewöhnlich kantigen Ständer und die zur oberen Befestigung notwendigen Rahmenhölzer (Rähm). Die Höhe der in Schwelle und Rahmen eingezapften Ständer wechselt; wir finden sie sowohl stockwerkweise als auch durch mehrere Geschosse reichend angeordnet. Zur besseren Versteifung erhält die Wand zwischen Schwelle und Ständer und Rahmen schrägliegende Bänder, die zumeist schwalbenschwanzförmig angeblattet werden. Die Ausfüllung der Gefache erfolgt durch Holzwerk, das zwischen den Ständern und den eingeschalteten Zwischenständern in verschiedener Weise horizontal oder vertikal aufgerichtet wird. Die Bohlen sind entweder bündig mit den Vertikalhölzern oder in die Mitte zurückgesetzt; sie sind untereinander und mit den Konstruktionshölzern zumeist durch Nut und Feder verbunden. Das

Z 10

Z 10

17

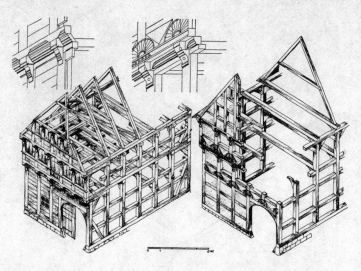

Z 11 Gefüge von Bürgerhäusern in Nienburg und Hameln (Phleps, Fachwerkbauten, Abb. 2).

Dach des Ständerbohlenbaus verlangt eine Konstruktion, die auf die wenig versteiften Seitenwände keinen Schub ausübt; es ergibt sich dadurch der Dreiecksverband, bei dem die feste Verbindung der Sparrenenden durch horizontale Balken (Bundbalken), zumeist in der Art der Kehlbalkenkonstruktion, erfolgt.

Z 11   Der eigentliche Fachwerkbau gleicht in seiner Konstruktion grundsätzlich dem Ständerbohlenbau. Als horizontale Konstruktionshölzer erscheinen die Schwelle, der Rahmen (Rähm) und der Riegel, als vertikale der Ständer sowie der Stiel und als schräge Hölzer die Strebe, das Band und die Schwertung.

Zu Beginn der Entwicklung stehen die Ständer, die sich aus den eingegrabenen Pfosten entwickelt haben, unmittelbar auf dem Boden oder auf dem massiven Unterbau des Kellers oder des

Z 12   Sockels; Fußriegel stellen die waagerechte Bindung her und nehmen die Gefachfüllung auf. Erst allmählich wird der Ständer auf durchlaufende Schwellen gesetzt. Noch 1427 gebietet ausdrücklich die Ulmer Bauordnung die Verwendung von Schwellen. Die auf

18

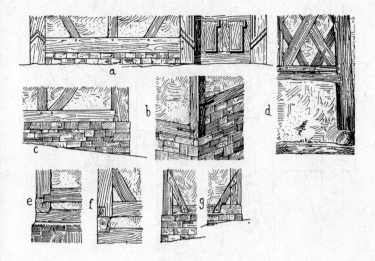

Z 12 Eckständer und Schwelle (Hanftmann, Abb. 39).
a Rhens/Rhein. *b* Halberstadt, Ratskeller. *c* Kraftried/Allgäu.
d Nordhausen/Harz. *e–g* Schwaben 15./16. Jh.

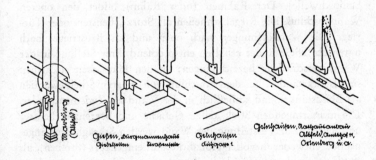

Z 13 Verbindung des Ständers mit Deckenbalken und Schwelle: Hinterblattung, Verblattung, Zapfung, 14./15. Jh. (Walbe, Hessen, Abb. 59).

19

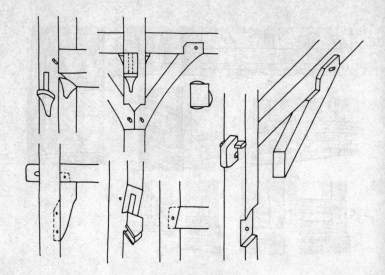

Z 14 Ständer mit Zapfenschloß und Konsole (Mechmann nach Hanftmann, S. 20).

der Sockelmauer aufliegende Schwelle heißt Grundschwelle, die
über der Deckenbalkenlage ruhende Schwelle Stockschwelle (oder
Saumschwelle). Der Rahmen (oder Rähm) bildet den oberen
Wandabschluß. Die Riegel schließen als Sturz-, Fenster- oder Tür-
riegel die Wandöffnungen nach oben und als Brustriegel nach
unten ab. Die Ständer erhalten entsprechend ihrer Stellung in der
Wand verschiedene Bezeichnungen: an den Hausecken erscheinen
sie als Eckständer, bei dem Anschluß von inneren Scheidewänden
als Bundständer und schließlich in der Wand als Zwischenständer.
Die nicht tragenden Stiele teilen Gefache und begrenzen Fenster
und Türen. Zur Versteifung der Wand werden Schräghölzer angeordnet, entweder in voller Holzdicke und eingezapft (Streben), als
Bohlen angeblattet (Bänder) oder als lange Schwertungen schräg
über mehrere Hölzer des Fachwerks gelegt und nur wenig eingeblattet.

Z 95
Z 17
Z 88
Z 48

20

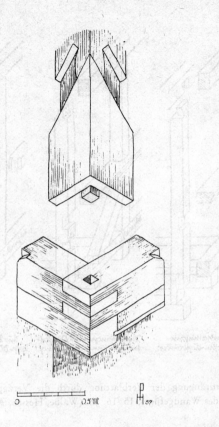

Z 15 Reichenau-Mittelzell, Rathaus, 15. Jh. Verbindung der Schwelle
mit dem Eckständer mittels eines Schwebeblattes (Phleps, Alem. Holzbau, Abb. 160).

Die Grundschwelle liegt auf der Sockelmauer auf und wird an
den Kreuzungsstellen überblattet, verkämmt oder verschlitzt.   Z 12
Saumschwellen werden zur vollen Sicherung der Balkenlage mit   Z 63
diesen durch Verkämmung verbunden. Die Anstückung der
Schwelle erfolgt häufig durch schräge Hakenblätter. Die Ständer
sind in Schwelle und Rahmen eingezapft oder angeblattet oder   Z 13
auch beides mittels eines Blattzapfens oder Schwebeblattes. Wenn   Z 15

21

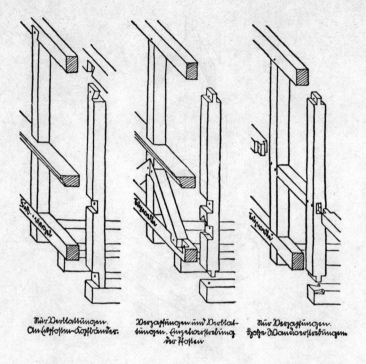

Z 16 Verdrängung der Verblattung durch die Verzapfung, Lockerung des Wandgefüges, 15./16. Jh. (Walbe, Hessen, Abb. 63).

die Ständerkonstruktion durch mehrere Geschosse reicht, werden die Balken in die Ständer eingezapft, der Zapfen durchgesteckt und außen am Ständer mit Zapfenschloß gesichert oder angeblattet, dazu als Auflager aus dem Vollholz des Ständers ausgearbeitete Konsolen. Schon bei den ältesten erhaltenen Häusern des 14. Jh. findet sich diese Konstruktionsweise in Verbindung mit dem Stockwerkbau, bei dem die einzelnen Nutzebenen in sich abgeschlossene Konstruktionseinheiten bilden, die Gebälke auf dem Rahmen der Ständer auflagern und so Stockwerk auf Stockwerk ruht. Diese Bauweise nennt man, im Unterschied zum Geschoßbau, den Stockwerkbau. Der Ständerbau, der unter dem Dachansatz

Z 14

Z 88

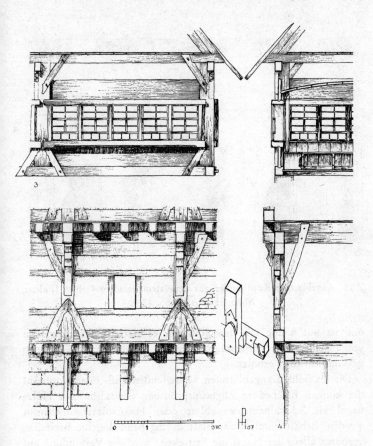

Z 17 Schwarzwälder Bauernhaus und Geislingen, der „Bau". Alemannisches Fachwerk mit Kopf- und Fußbändern (Phleps, Alem. Holzbau, Abb. 68).

mit Riegeln (Rahmenriegel) abschließt, findet sich zumeist bei Geschoßbauweise, der Rähmbau, der oben mit dem Rahmen (Rähm) abschließt, zumeist bei Stockwerkbauweise. Z 16

Der Riegel wird mit den Ständern durch Zapfen verbunden, oder über mehrere Gefache verlaufend mit den Ständern verblattet; tritt er vor die Wandfläche vor, zumeist bei Brüstungen, Z 16

23

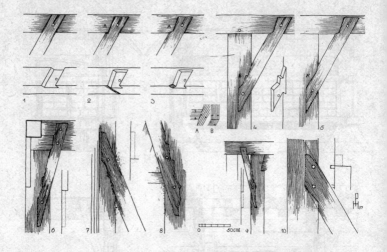

Z 18 Angeblattete Kopfbänder aus dem alemannischen Gebiet (Phleps, Alem. Holzbau, Abb. 176).

und ist nur wenig mit den Ständern verblattet, so spricht man
Z 16 von waagerechter Brüstungsschwertung. Zwischenriegel werden
gewöhnlich nur verbolzt.

Z 17 Die als Bohlen angeblatteten versteifenden Fuß- oder Kopfbän-
Z 18 der können für bessere Zugbeanspruchung zusätzlich zum Holz-
nagel als Schwalbenschwanzblatt oder Hakenblatt ausgeformt
werden. Behält nämlich das Blatt durchgehend dieselbe Breite, so
verbürgt allein der Nagel die Festigkeit; wird die Verbindung auf
Zug beansprucht, so leistet der vom Nagel abgekehrte Teil auf
Abscheren Widerstand; deshalb wird der Nagel möglichst weit
vom Blattende angesetzt; reduziert man das Blatt am Ansatz, so
Z 18 unterstützt ein solcher „Schwalbenschwanz" oder „Weichschwanz"
Z 49 (einseitiger Schwalbenschwanz) bei Beanspruchung auf Zug den
Widerstand. Gegen Ende des 15. Jh. tritt im Gefüge des aleman-
nischen und fränkischen Fachwerks ein Motiv mit sich überkreu-
zenden Kopf- und Fußbändern oder Streben auf. Das einfache
Kreuz zwischen senkrechten und waagerechten Konstruktionshöl-
Z 19 zern heißt „Andreaskreuz", der Ständer mit Kopf- und Fuß-

24

Z 19 Verstrebung der Wand, rechts „Mann" und „Schwäbisches Weible"
(Mechmann).

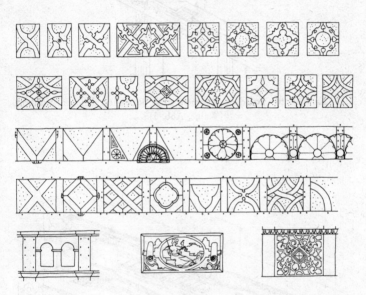

Z 20 Verstrebung der Brüstung (Mechmann nach Schäfer, Holzbau,
Tafel 17, 18 und Ergänzungen von Binding).

bändern „Schwäbisches Weible", der Ständer mit sich überkreuzenden Streben oder mit dreiviertelhohen Fußstreben und Kopf-
Winkelhölzern „Mann". Sehr verschiedenartig ist die Anordnung
und Ausbildung der die Gefache verspreizenden Streben, die als
volle Konstruktionshölzer zwischen Schwelle und Rahmen ge-
spannt sein können, aber auch als einfache Kopf- und Fußstreben
zwischen Ständer und Schwelle bzw. Rahmen schräg eingezapft
sind und Druckkräfte aufnehmen. Die Streben können zu einem

25

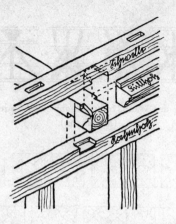

Z 21 Balkenkopf zwischen Rahmen und Schwelle, daneben Füllholz (Walbe, Abb. 3).

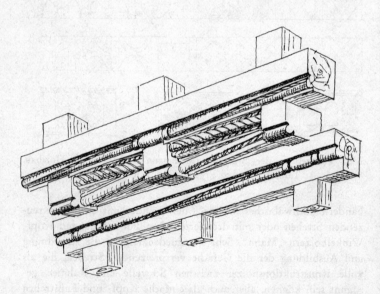

Z 22 Gemünden/Hessen, Haus am Marktplatz (Winter, Oberhessen, Abb. 99).

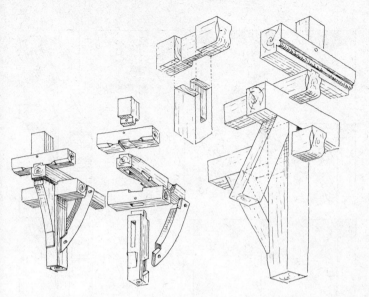

Z 23 Grünberg/Hessen, Alsfelder Straße 1/3, Ende 15. Jh., Vorkragung
und Quersicherung. Marburg, Hirschberg 14, Haus Textor, Mitte 16. Jh.,
eingehälster Querunterzug im Unterstock (Winter, Oberhessen, Abb. 67,
87).

dreieckigen Holzstück, dem Winkelholz, reduziert oder als ver- Z 107
schieden gestaltete Andreaskreuze mehr dekorativ ausgebildet werden. Ständer und Winkelholz bzw. Brüstungsbrett übergreifende T 127
Fächerrosetten zieren im 16. und frühen 17. Jh. in Niedersachsen Z 20
und Westfalen, später auch nach Osten und Norden ausstrahlend,
das untere Konstruktionsdreieck. Im fränkischen und besonders im
niedersächsischen Fachwerkbau waren die konstruktiven Hölzer
häufig mehr oder weniger reich ornamental und auch figürlich
beschnitzt und häufig farbig gefaßt.

Die älteste und häufigste Art der Gefachfüllung ist die „Aus-
stakung", bei der zwischen die Horizontalhölzer des Gerüstes
Stöcke gesetzt werden, um die ein Geflecht aus Weidenruten oder
Strohseilen gewunden und normalerweise mit strohvermengtem T 194
Lehm verkleidet wird. Die Ausfachung mit Backsteinmauerwerk

27

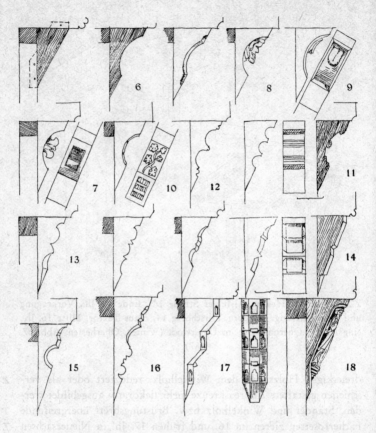

Z 24 Knaggen (Schäfer, Holzbau, Tafel 8).

findet seit dem späten Mittelalter, teilweise erst im 17./18. Jh. vor allem im niedersächsisch-norddeutschen Raum Verbreitung und wird hier auch unverputzt als Zierelement verwendet, sonst wird sie, wie auch bei Bruchsteinmauerwerk, verputzt. In einigen fränkischen Gebieten wird der Lehm-Kalkmörtelverputz mit eingekratzten oder gestippten Verzierungen versehen. Die Außenfläche der Gefache lag immer in der Ebene der Konstruktionshölzer.

Z 149

Z 126
–128

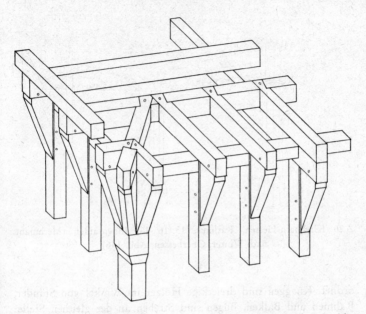

Z 25 Deckenbalkenlage über Rahmen mit Stichgebälk und Gratstichbalken auf Knaggen (Hanftmann, Abb. 23).

Bei mehretagigen Häusern ist die Richtung der Deckenbalken abhängig von der Breite der Bauparzelle: breite Straßenfronten und geringe Bautiefe ergeben konstruktiv eine Balkenlage senkrecht zur Straße; im letzteren Fall wird der äußere Balken der Balkenlage gleichzeitig Rahmen des unteren und Schwelle des oberen Stockwerks. Liegen die Deckenbalken senkrecht zur Straße, so befinden sich diese zwischen Rahmen und Saumschwelle. Die Z 21 Balken gehen über den Rahmen hinweg, greifen gleichzeitig etwas in diesen ein, eine Verkämmung bildend, und halten so die Außenwand. Die Balkenköpfe können dann als dekorative Zierglieder vor die Bauflucht vorspringen. In vielen Gegenden werden die ausgelegten Balkenköpfe zu Trägern der oberen vorspringenden Z 134 Fachwerkwand (Überhang); je nach dem Ausladungsgrad (bis zu Z 24 60 cm) werden dann teilweise reich verzierte Bügen oder Knaggen T 1 zur weiteren Unterstützung und Verriegelung der Balken ange-

29

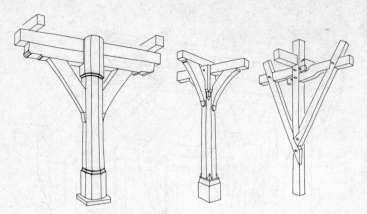

Z 26 Kirchhain/Hessen, Rathaus, 15./16. Jh. Innensäulen (Mechmann nach Winter, Oberhessen, Abb. 146).

ordnet. Knaggen sind dreieckige Hölzer im Winkel von Ständer, Rahmen und Balken, Bügen sind Streben an der gleichen Stelle;

Z 23 beide sind mit Ständern und Balken durch tief eingreifende verbohrte Zapfen verbunden.

Z 25   Bei Querrichtung der Balkenlage übernehmen Stichbalken, die an einem Ende mit dem letzten Deckenbalken verbunden sind, die Aufgabe; bei mehrseitigem Überhang tritt an der Hausecke der Gratstichbalken auf, der zumeist wie die seitlichen Decken- und Stichbalken von Bügen oder Knaggen unterstützt wird, so daß sich

Z 96 an der Ecke Bügen- oder Knaggenbündel ausbilden, die in den

T 9 darunter stehenden Eckständer eingezapft sind. Die Verriegelung

Z 21 durch die Knaggen und die Verkämmung mit dem Rahmen, die günstige statische Wirkung als Durchlaufträger und die Vermeidung von Scherbeanspruchung sind konstruktiv einsichtige Gründe für die Auskragung, den Überhang; zugleich erhält man für die auf beengten Bauparzellen errichteten Stadthäuser größeren Nutzraum; alles Vorteile, die seit dem späten 16. Jh. jedoch weitgehend nicht mehr genutzt werden. In engen Gassen dürfen Überhänge nur mit besonderer Erlaubnis ausgeführt werden; in Straßburg wird das zulässige Maß für den Überhang am Münster in Stein

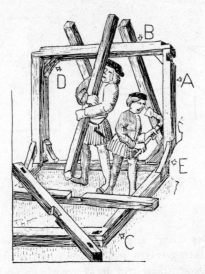

Z 27 Aufstellen eines Fachwerkhauses, aus Diebold Schilling, Luzerner
    Bilderchronik, 1513, fol. 321^V (Phleps, Alem. Holzbau, Abb. 7).
    A Ständer.   *B* Rahmen.   *C* Schwelle.   *D* Kopfband.   *E* Fuß-
band.

gehauen. Die im Kopfbereich sichtbare Fußbodenkonstruktion
wird durch eingeschobene profilierte Füllhölzer oder Windbretter   Z 22
verdeckt; im alemannischen Gebiet werden die Fußbodenbohlen   T 10
(Dielen) bis zur Hausfront vorgezogen.

Am Fuße des Giebels sind zumeist keine Balkenköpfe sichtbar,
denn hier liegen keine Stichbalken, sondern direkt der Bundbalken
auf dem Rahmen. Der vorderste Balken ist zugleich Schwelle für
die Außenwand des unteren Giebelgeschosses; daher ist die Auskragung nur sehr gering, es sei denn, die traufenseitigen Rahmen-
balken sind zur Giebelseite hin vorgekragt und stützen so den
Überhang des Giebels oder die vorkragenden Sparren, den Schwebegiebel, mittels eines unverrückbaren Dreieckverbandes, dem
Flugsparrendreieck (Schweiz) oder Sparrenknecht (Süddeutschland). Der Schwebe- oder Ziergiebel ist von Frankreich beeinflußt   Z 97
und findet sich bis an den Rhein und im Norden bis Mönchen-   T 89

31

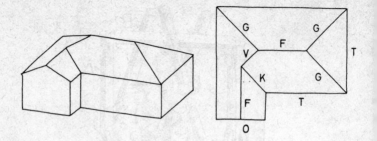

Z 28 Dachausmittelung (Mechmann).

F First.   *G* Grat.   *K* Kehle.   *O* Ort.   *T* Traufe.   *V* Verfall.

gladbach. Der Giebel zeigt zumeist zwei bis drei Geschosse, die von Kehlbalken getragen werden, auch hier zumeist keine Stichbalken als Deckenträger und deswegen wie im Giebelansatz keine oder nur eine sehr geringe Vorkragung.

Die Kenntnis der Dachstuhlkonstruktion ist auch bei rein kunstgeschichtlicher Betrachtung insofern wichtig, als diese nicht nur auf das Hausgerüst, sondern auch auf die Gestaltung des Giebels Einfluß nimmt. Das das Haus gegen äußere Witterungseinflüsse schützende Dach besteht aus der Dachkonstruktion (Dachstuhl) und der Dachdeckung (Dachhaut). Die Konstruktion ist von

Z 29 Dachkonstruktionen (Binding, Mechmann).

A Sparrendach, rechts mit Aufschiebling.   *B* Sparrendach mit Oberrähmverzimmerung.   *C* Sparrendach mit Ankerbalken und Zapfenschloß.   *D* Kehlbalkendach, links angeblattet, rechts eingezapft, unten rechts mit Aufschiebling.   *E* Kehlbalkendach mit einfachem stehendem Stuhl und rechts überkragendem Aufschiebling.   *F* Kehlbalkendach mit doppeltem stehendem Stuhl und längsversteift durch Büge.   *G* Kehlbalkendach mit doppeltem liegendem Stuhl, durch obere und untere Bügen längsversteift.   *H* Pfettendach mit Firstsäule.   *I* Pfettendach mit abgefangener Firstsäule oder einfachem stehendem Stuhl und Zange.   *K* Pfettendach mit doppeltem stehendem Stuhl.   *L* Pfettendach mit doppeltem liegendem Stuhl und Kopfbügen.

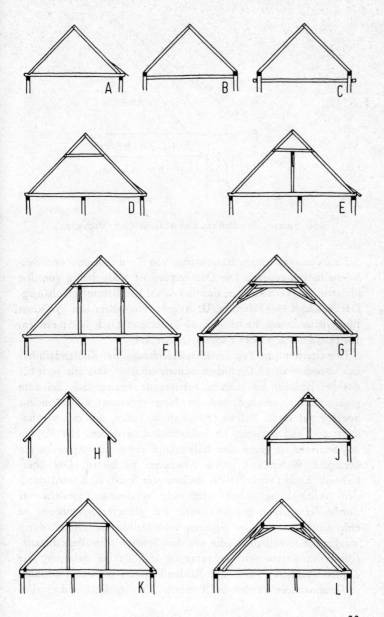

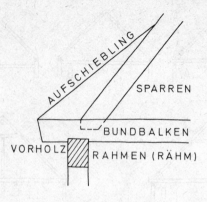

Z 30 Sparren, Bundbalken und Aufschiebling (Mechmann).

der zu überspannenden Raumweite, von Tradition und optischen Vorstellungen geprägt. Die Dachneigung ist wechselseitig von den klimatischen Verhältnissen und der Wahl der Baustoffe abhängig. Das zunächst winkelrechte Dach geht vor allem am gotischen Bürgerhaus in ein steiles, um 60° geneigtes Dach über; erst im 18. Jh. kommen wieder flachere Dächer auf.

Z 29 Der altertümliche Typ des Firstsäulenhauses mit Roofendach hat sich vornehmlich an ländlichen Bauten erhalten. Das gilt auch für das bei geringer Spannweite auftretende Sparrendach, bei dem gegeneinander geneigte und im First miteinander verbundene Sparren auf einem Balken (Bundbalken) fußen, mit ihm verzimmert sind und so einen Dreiecksverband herstellen. Der Zapfen des Sparrens ist gegen den Balkenkopf etwas zurückgesetzt, um genügend Widerstand gegen Abscheren zu bieten. Das überZ 30 stehende Ende (Vorholz) des Balkens am Sparrenfuß wird durch den Aufschiebling gedeckt, der nicht verzimmert, sondern nur durch Vernagelung gesichert wird. Bei größerer Spannweite ist eine Unterstützung der Sparren erforderlich; sie erfolgt durch waagerechte Kehlbalken, die mit den Sparren schwalbenschwanzförmig verblattet, seltener verzapft sind, da bei Belastung der Zapfen ausscheren kann. Die Kehlbalken zerlegen den Dachraum in Geschosse; sie werden mit Bretterböden abgedeckt und ergeben

34

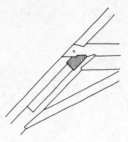

Z 31   Detail des liegenden Dachstuhls (Mechmann).

die für das Haus notwendigen Lagerräume. Der oberste durch keinen Boden belastete Kehlbalken eines Gespärres ist der Hahnenbalken.

Während normalerweise der die Sparren verbindende Balken (Bundbalken) auf dem Wandrähm aufliegt und zumeist mit ihm verkämmt ist, findet sich auch die Konstruktion, daß der Balken unter dem Rahmen mit der Wand verbunden ist und die Sparren direkt mit dem Rahmen verzimmert sind, hier spricht man von Oberrähmverzimmerung, einer Technik, die wohl auf die mit Zapfenschloß versehene Ankerbalkenverzimmerung der Bauernhäuser zurückgeht. Verstrebungen und Säulen kehren bei frühen Konstruktionen in jedem Gespärre wieder; schon seit dem 14. Jh. wird die Dachlast auf Bindergespärre verteilt, die alle 3–5 m zwischen einfache Kehlbalken- oder Leergespärre angeordnet werden. Der Längsverband (Windverband) wird durch Latten (Windrispen) gesichert, die unter den Sparren schräg zur Trauflinie befestigt sind. Die Sparren können aber auch durch Pfetten unterstützt werden, die in der Längsrichtung des Daches waagerecht unter den Sparren der Dachfläche entlanglaufen und ihrerseits von Wänden oder Säulen (Stuhlsäulen) getragen werden.

Während anfangs die an der Firstpfette oder besser am Firstbaum hängenden Roofen auf dem Wandrahmen auflagern, übernimmt im Laufe der Entwicklung eine von den Balken getragene Dachschwelle oder Fußpfette die Aufgabe des letzteren. Statt der

Z 29

35

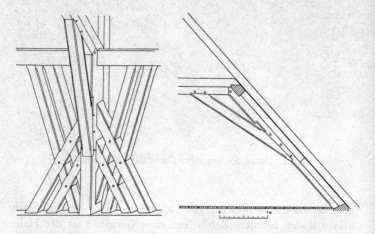

Z 32 Nürnberg, Burgstraße 15, Fembohaus 1591/95 (Schwemmer, Nürnberg, Abb. 73).

Zwischen Schwelle und Pfetten des liegenden Dachstuhls sind mehrere Streben (Andreaskreuze) eingezapft, die durch Bügen gestützt werden.

Firstpfette kann auch unter dem First noch einmal ein kleiner Kehlbalken oder eine Zange eingeschoben werden.

Z 29   Um notwendige Zwischenauflager herzustellen, wird der stehende Stuhl gebildet, dessen Rähme zugleich eine sichere Längsverbindung im Dachstuhl gewährleisten. Längsverbände besonderer Art finden sich mit durchlaufenden Schwellen, angeblatteten Mittelriegeln und Firstpfetten untereinander verstrebt oder kreuzverstrebt (Andreaskreuz). Zuvor wird der Längsverband – abgesehen von den Windrispen – von den an der Firstsäule überblatteten Unter- oder Überzügen übernommen. Da nun die steil ansteigenden Sparren an ihrem Fuße eine feste Stütze besitzen, hat die Firstsäule mit Pfette an Bedeutung verloren. Trotzdem wird sie – auch als Spitzsäule – beibehalten, um dem Kehlbalken oder einem Überzug Halt zu geben. Zumeist wird sie aber nicht mehr durch das ganze Haus bis zum Boden durchgeführt, sondern auf dem Dachbalken abgefangen oder durch einen einfach stehenden Stuhl ersetzt.

36

Um den Dachraum frei begehbar zu machen, wird bei großen Spannweiten die Firstsäule einem über dem Kehlbalken liegenden Unterzug aufgesattelt. Diese Anforderung wird am Anfang des 15. Jh. durch den liegenden Stuhl erreicht, indem man den Fuß- Z 31 punkt der Säulen nach der Traufe verschiebt (Kürschnerhaus in Z 32 Nördlingen 1427, Rathaus in Eßlingen 1430). In dem aus dem Anfang des 16. Jh. stammenden „Bau" in Geislingen besitzen das erste und zweite Dachgeschoß liegende Stühle, das dritte einen stehenden Stuhl. Schließlich wird die Firstpfette vom liegenden Stuhl unmittelbar aufgenommen und dieser zugleich zum Träger der Zwischenpfetten benutzt. Vereinzelt kann die Firstpfette von einer aus Streben gebildeten Schere getragen werden (Brückensteg in Luzern). Besonders auf dem Lande findet sich das Walmdach bzw. der Krüppelwalm als Ersatz für den Giebel.

Aus arbeitsökonomischen Gründen ist es notwendig, die Vielfalt von konstruktiven und stilistischen Erscheinungen zu einer beschränkten Zahl räumlich gebundener Typen zu verdichten, zwischen denen sich der Übergang mit seinen Mischformen vollzieht. Am hochmittelalterlichen Baubestand werden für uns solche Unterschiede erkennbar, die in der älteren Fachliteratur auf die Baugewohnheiten der germanischen Stämme zur Landnahmezeit zurückgeführt werden, eine Auffassung, die heute nicht mehr ernsthaft erwogen wird, denn es zeigt sich, daß sich die Formverbreitung nicht unbedingt an die Sprachgrenzen hält, sondern eine lückenlose Staffelung von Übergangsformen zu beobachten ist. Dennoch soll hier an der althergebrachten Unterscheidung einer alemannischen, fränkischen und niedersächsischen Bauweise Z 33 festgehalten werden.

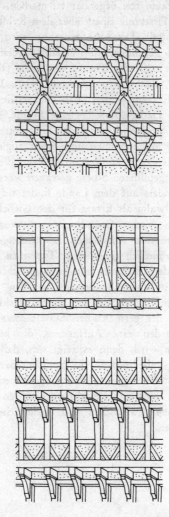

Z 33 Alemannisches, fränkisches und niedersächsisches Fachwerk (Mechmann und Phleps, Fachwerkbauten, Abb. 3, 5, 6).

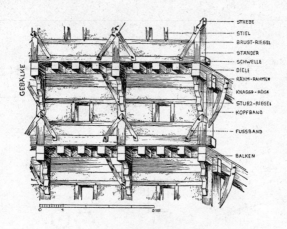

GEBÄLKE

- STREBE
- STIEL
- BRUST-RIEGEL
- STÄNDER
- SCHWELLE
- DIELE
- RÄHM · RAHMEN
- KNAGGE · BÜGE
- STURZ-RIEGEL
- KOPFBAND
- FUSSBAND
- BALKEN

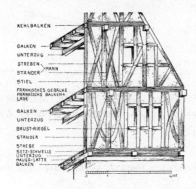

- KEHLBALKEN
- BALKEN
- UNTERZUG
- STREBEN
- STÄNDER—MANN
- STIEL
- FRÄNKISCHES GEBÄLKE FRÄNKISCHE BALKEN= LAGE
- BALKEN
- UNTERZUG
- BRUST-RIEGEL
- STÄNDER
- STREBE
- SETZ-SCHWELLE UNTERZUG MAUER-LATTE BALKEN

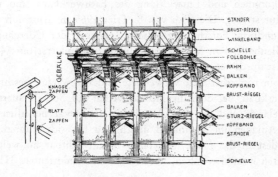

GEBÄLKE

- STÄNDER
- BRUST-RIEGEL
- WINKELBAND
- SCWELLE
- FÜLLBOHLE
- RÄHM
- BALKEN
- KOPFBAND
- BRUST-RIEGEL
- BALKEN
- STURZ-RIEGEL
- KOPFBAND
- STÄNDER
- BRUST-RIEGEL
- SCHWELLE

KNAGGE ZAPFEN

BLATT

ZAPFEN

39

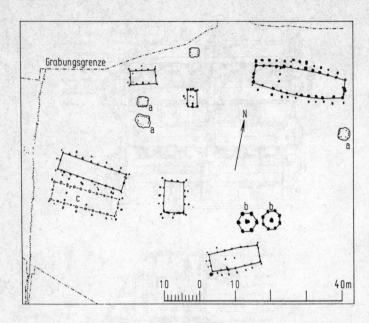

Z 34 Warendorf/Münster, Siedlung, 7./8. Jh. Maßstab 1 : 1000 (Sage, Die fränk. Siedlung b. Gladbach/Kr. Neuwied, Abb. 18).

6. Früh- und hochmittelalterlicher Fachwerkbau

Aufkommen und Entwicklung des Fachwerkbaus sind in der Literatur strittig. Die noch von B. Trier 1969 im Anschluß an die volkskundliche Forschung geäußerte Meinung, der Übergang zum Schwellenbau sei in Mittel- und Süddeutschland erst um 1400 erfolgt, ist durch neuere Grabungen widerlegt.

Der in römischer Zeit verwendete und von Vitruv beschriebene Fachwerkbau, bei dem die Holzschwellen auf Sockelmauern über das Gelände und den Estrich gehoben sind, war bei allen römischen Anlagen im Rheinland üblich und hat sich wahrscheinlich zumindest in das frühe Mittelalter hinein sichtbar an weiterverwendeten Bauten erhalten, wie es für den Memorienbau III unter

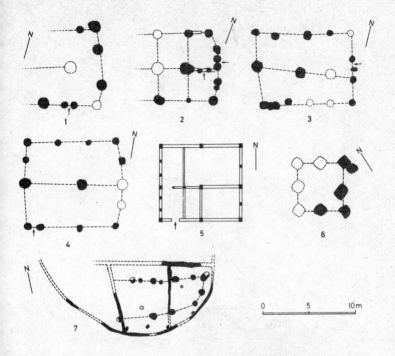

Z 35 Sindelfingen/Kr. Böblingen, Obere Vorstadt, Hausgrundrisse. Maßstab 1 : 500 (Archäol. Korrespondenzblatt 3, 1973, S. 118).
1 zweite Hälfte 11. Jh.   *2* Mitte 12. Jh.   *3* zweite Hälfte 13. Jh.
4 zweite Hälfte 14. Jh.   *5* 1447.   *6* zweite Hälfte 15. Jh.
7 1360/80.

dem Xantener Dom nachgewiesen wurde, der vor der Mitte des   Z 39
5. Jh. als Ersatz für einen Pfostenbau errichtet und im dritten
Viertel des 8. Jh. erneuert worden ist. Da hier, wie auch teilweise
bei römischen Bauten, Staklehm fehlt, darf an ein verbrettertes
Fachwerk, eine Ständerbohlenwand oder an einen Stabbau gedacht
werden.

Diese römische Bautradition setzt sich fort über merowingische
Häuser aus Fachwerk auf ungemörtelten Bruchsteinfundamenten
in dem römischen Ort Altbachtal bei Trier bis hin zu dem Wohn-

41

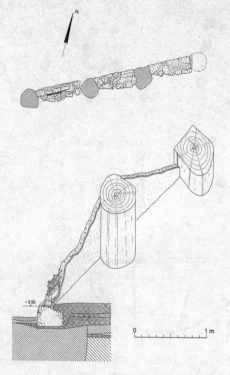

Z 36 Elten am Niederrhein, Burg. Palas, Anfang 10. Jh. Details der Wandkonstruktion. Maßstab 1 : 100, 1 : 50 (Binding, Elten, T. 12).

bau des Stiftes an St. Gereon in Köln, wo über 0,30 m breiten Sockelmauern ein Fachwerkbau des 11. Jh. auf Schwellbalken ergänzt werden kann, der einen ähnlichen Vorgängerbau aus dem 9./10. Jh. ersetzt und in der Umgrenzung des westlichen Vorhofes von St. Severin in Köln aus Holzschwellen und Ständern im 6./7. Jh. eine Vorstufe hat.

Durch archäologische Funde sind in letzter Zeit verhältnismäßig zahlreiche Beispiele für den Stabbau nachgewiesen worden, deren Merkmal in der Nebeneinanderreihung mehr oder weniger tragender senkrechter Hölzer in oder auf Schwellbalken besteht. Die

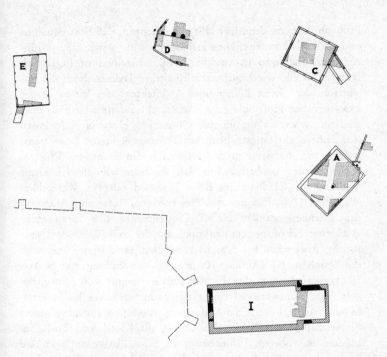

Z 37 Elten am Niederrhein, Burg, Wohnhäuser und Kapelle, Anfang
10. Jh. Maßstab 1 : 500 (Binding, Elten, T. 4).

in den norwegischen hoch- und spätmittelalterlichen Stabkirchen
zu höchster Blüte entwickelte und in Beispielen erhaltene Stabbau-
technik hat in Nordwesteuropa ihre Voraussetzungen, die bis in
die Mitte des ersten vorchristlichen Jahrtausends zurückreichen.
Für das 9.–12. Jh. seien die Fundplätze Haithabu bei Schleswig,
Antwerpen, Meer bei Grevenbroich, Husterknupp bei Köln und   Z 9
der Petersberg in Basel genannt.

Läßt man die Stabbauwände und mehr oder weniger unklare
Wandkonstruktionen in vor- und frühgeschichtlicher sowie in
früh- und hochmittelalterlicher Zeit außer Betracht, dann wird
durch Befunde auf der Gaugrafenburg Elten am Niederrhein das

43

Problem deutlich, denn hier läßt sich erkennen, daß Schwellbalken und Fachwerkkonstruktionen archäologisch nur unter äußerst günstigen Bedingungen nachweisbar sind. Schwellbalken liegen anfänglich bis zur Wiederaufnahme römischer Technik durch die Abschriften der „Zehn Bücher über Architektur" des Vitruv in der karolingischen Hofschule zu Aachen direkt auf dem Gelände oder sind nur wenig in die humose Oberschicht eingetieft und lassen sich deshalb mit unseren heutigen Grabungsmethoden kaum nachweisen; nur die tiefer in den helleren Boden reichenden Pfostenlöcher werden beobachtet, so daß Anlagen wie die fränkische Siedlung bei Gladbach im Kreis Neuwied oder in Warendorf/ Westfalen (7./8. Jh.) nur als Pfostenbauten auftreten. Auch auf dem Eltenberg standen um 900 Pfostenbauten, u. a. in einer abgestützten Eckpfostenkonstruktion, die der von Warendorf entspricht. Aber schon bei dem als Pfostenbau errichteten Palas zeigt die Bauphase III (Anfang 10. Jh.) die Verwendung von Sockelmäuerchen zwischen den Pfosten zur Aufnahme von Schwellriegeln, die Flechtwerkausfachung mit nachgewiesenem Kalkmörtelbewurf trugen. Die gleiche Ausfachung jedoch über durchlaufendem Schwellbalken auf Bankettfundament aus Kiesel und Tuffsteinbrocken mit oberem Lehmabglich als Schwellbalkenauflager und Feuchtigkeitssperre konnte für die zugehörige Saalkirche festgestellt werden. Daß die gleichzeitige Verwendung von Pfosten-Schwellriegel- und Schwellbalken-Ständer-Konstruktion um 900 nicht zufällig ist, beweisen die in die Erde bis zu 1,70 m eingegrabenen Wohnhäuser, bei denen eines aus rechteckigen Pfosten, Schwellriegeln und Verbretterung, ein anderes aus Schwellbalken, Ständer, Flechtwerkausfachung und innerer Bretterverkleidung bestand. Die sauber rechtwinklig gebeilten Hölzer, die einheitlich nur 1,8 cm dicken Bretter und die maßhaltige Konstruktion weisen auf das hohe Maß an handwerklichem Können und auf die fortgeschrittene technische Entwicklung hin, auf der die ältesten erhaltenen Häuser des 14. Jh. aufbauen, auch wenn bei Siedlungsgrabungen die bäuerlichen Wohnhäuser bis ins 14. Jh. hinein zumeist als verhältnismäßig unregelmäßige Pfostenbauten auftreten.

7. Die Kirchen

Aus Holz waren auch die frühen Kirchen errichtet (ecclesia lignea, ecclesia ligneis tabulis fabricata), wenn auch die Ausführung in Stein als dauerhafter und repräsentativer angesehen und deshalb erstrebt wurde. Die bei Ausgrabungen für das 7.–10. Jh. und aus den Schriftquellen für das 5.–12. Jh. nachgewiesenen Holzkirchen im deutschen Sprachraum erreichen die bei der Zufälligkeit der Überlieferung verhältnismäßig große Zahl von etwa 100 Bauten, davon nachweislich fast 30 in Pfostenkonstruktion Z 38 und 16 auf Schwellbalken. Der archäologische Befund gestattet Z 39 nur selten und dann auch nur sehr vage Aussagen über die Wandkonstruktion, so daß eine Entscheidung über die konstruktive Zugehörigkeit kaum möglich ist. Bei den auf Schwellbalken errich- Z 39 teten Bauten sind für Elten eine Fachwerkwand mit vermörtelter Z 40 Flechtwerk-Ausfachung, für Paderborn und Hochemmerich Verputz, sonst häufig Stabwände nachgewiesen. Bei den Pfostenkirchen sind über den Aufbau der Wände zumeist keine Hinweise beobachtet worden, aber auch dort darf in Anlehnung an den Befund bei den Eltener Holzbauten teilweise an Riegel mit Aus- Z 36 fachung zwischen den Pfosten gedacht werden; nach den Ergebnissen der vor- und frühgeschichtlichen Hausforschung kommt die ganze Breite der möglichen Wandkonstruktionen in Betracht. Auf der Grundlage früher Holzkirchen haben sich in Norwegen die teilweise erhaltenen, reichverzierten Stabkirchen des hohen Mittelalters, in Hessen, in der Eifel, im Harz und in Ostdeutschland T 94 Dorfkirchen und in Schlesien die 1648 errichteten Friedenskirchen Z 41 von Schweidnitz, Jauer und Glogau oder die Gnadenkirchen von Sagan, Militsch und Freystadt entwickelt. Seit dem 10. Jh. bleibt aber der Holzbau vorwiegend dem profanen Bereich vorbehalten.

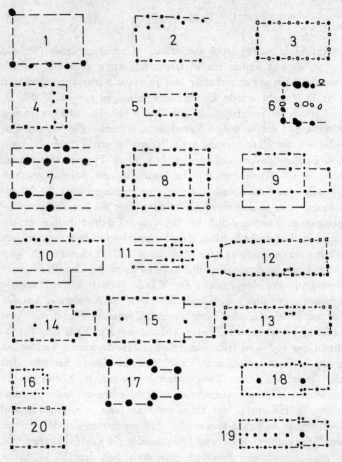

Z 38 Holzpfostenkirchen. Maßstab 1 : 600 (Binding, Mechmann).

1 Palenberg, St. Petrus, Ende 8. Jh.   2 Buggenum, St. Aldegundis, vor 1000.   3 Ellecom, St. Nikolaus, 9./10. Jh.   4 Georgenberg, St. Georg, 9./10. Jh.   5 Muizen, St. Lambert, 8./9. Jh.   6 Türkheim, 10. Jh.   7 Breberen, St. Maternus, 1. Hälfte 9. Jh.   8 Brenz, St. Gallus, 7. Jh.   9 Pier, St. Martin, Anfang 8. Jh.   10 Doveren, St. Dionysius, 9./10. Jh.   11 Solnhofen, St. Salvator, um 760.   12 Diever.   13 Diever.   14 Tostedt I, Ende 8. Jh.   15 Tostedt II, um 800.   16 Murrhardt, Waltherichskirche, 2. Hälfte 8. Jh.   17 Zimmern, Ende

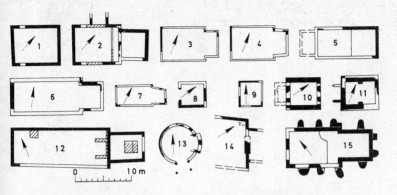

Z 39 Schwellbalkenkirchen. Maßstab 1 : 600 (Binding, Mechmann).

1 Xanten, St. Victor III, vor Mitte 5. Jh.   *2* Xanten, St. Victor IV, um 752/68.   *3* Hochemmerich, St. Peter I, 8. Jh.   *4* Hochemmerich, St. Peter II, Ende 8. Jh.   *5* Wesel, St. Willibrord, um oder nach 800. *6* Elten, Burgkapelle, Anfang 10. Jh.   *7* Bensberg-Refrath, St. Johann Bapt., erste Hälfte 9. Jh.   *8* Niederbachem, St. Gereon, um 1000. *9* Wardt, St. Willibrord, 10. Jh.   *10* Münstereifel, St. Chrysanthus und Daria, um 800.   *11* Krefeld-Fischeln, St. Clemens, 10. Jh.   *12* Paderborn, Abdinghof I, erste Hälfte 9. Jh.   *13* Milkulčice VII, zweite Hälfte 9. Jh.   *14* Solingen, St. Klemens, 10./11. Jh.   *15* Hohe Schanze bei Winzenburg, Mitte 9. Jh.

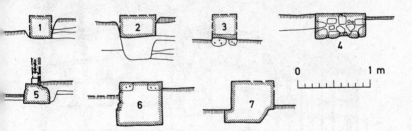

Z 40 Schwellbalkenkirchen, Querschnitt durch den Schwellbalken. Maßstab 1 : 50 (Binding, Mechmann).

1 Hochemmerich I.   *2* Hochemmerich II.   *3* Refrath.   *4* Elten, Kirche I.   *5* Elten, Palas III.   *6* Niederbachem.   *7* Paderborn.

8./9. Jh.   *18* Gemonde, St. Lambertus I, 8. Jh.   *19* Gemonde, St. Lambertus II, 9./10. Jh.   *20* Laurenzberg, St. Laurentius, 10. Jh.?

Z 41 Merzdorf bei Uhyst/Niederschlesien, Ev. Dorfkirche, spätes Mittelalter, 1933 abgebrochen (Loewe, Schlesien, S. 169).

B. DER ALEMANNISCHE FACHWERKBAU

Z 42 Markgröningen/Kr. Ludwigsburg, Rathaus, 15./16. Jh., 1865 erneuert, 1930 renoviert (Inventar Württemberg, Neckarkreis 1889, S. 8).

Das alemannische Fachwerk ist gekennzeichnet durch Rähmbau mit weitem Abstand der Ständer, angeblattete Kopf- und Fuß-
Z 52 bänder, durchlaufende Sturz- und Brustriegel und eingespannte
–55 Fenster, Wohnstuben mit Bohlenwänden, auch nach außen vortretende Fenstererker und Bohlenbalkendecke; die nur um Balkenquerschnitt vorkragenden, in sich abgezimmerten Stockwerke ruhen auf den eng gelegten Deckenbalken, die mit dem häufig wegen der großen Spannweite verdoppelten Rähm verkämmt sind, einfach vierkant hervortreten und von Knaggen gestützt werden. Die Fassade wirkt durch die klaren Konstruktionslinien.

Das Alemannische findet sich im Süden bis in die Schweizer Alpentäler, im Westen im Rheintal bis Straßburg, im Norden mit Ausläufern bis an den Main, im Nordosten bis Nürnberg und Forchheim, im Südosten bis Wien. Durch die hervorragende textliche und bildliche Darstellung von H. Phleps (Alemannische Holzbaukunst, 1967) ist eben diese Gruppe in ihrer Entwicklung, Differenzierung und Verschmelzung besonders gut erforscht.

Das alemannische Gebälk besteht aus einem einfachen oder dop-
T 10 pelten Rähm. Auf ihm sind die leicht vorkragenden Balkenenden
Z 49 aufgekämmt. Der verdoppelte Rähm hält sich bis ins 16. Jh. hinein, wo unter fränkischem Einfluß die Ständer näher zusammenrücken und gebogene und eingezapfte Streben sich einbürgern. Dadurch wird die alemannische Strenge von einer größeren Abwechslung in der Wandgestaltung abgelöst. In der Regel werden die Rähme an den Ecken überkämmt oder verblattet. Die Balken
T 10 bedeckt, bis zum Hirnholz vorrückend, der Dielenfußboden. Hierauf liegt dann die Saumschwelle oder der Fußriegel und stehen die Eck- und Bundständer. In dieser Gestaltung findet sich das Gebälk etwa von Eberbach im Norden bis Pfullendorf und Immenstaad im Süden und von Kolmar und Straßburg im Westen und bis Nördlingen im Osten. Nordwärts des Neckars bis zum Main reicht der Fußboden nur bis zur Schwelle; statt der sichtbaren eigentlichen Dielung tritt ein Fehl- oder Blindboden oder eine Füllschicht zwischen die Stichbalken.

Z 15 Häufig wird der Blattzapfen (oder Schwebeblatt) angewendet,
Z 47 a eine untere Verstärkung des Ständers durch ein 3–4 cm dickes Blatt, das von dem mit einfachem Zapfen versehenen Fuß bis zur

50

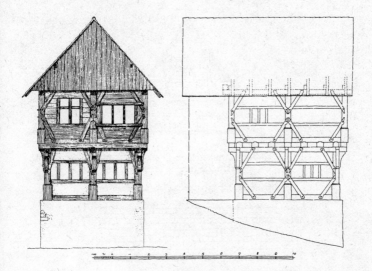

Z 43   Beuren/Kr. Überlingen, Schwedenhaus, um 1500. Maßstab 1 : 200
(Gruber, Bodensee, Abb. 20).
Durch zwei Ständerreihen längsgeteilter Unterstock auf Steinsockel,
im Oberstock Wohnstube mit Bohlenwand, Bohlenbalkendecke und Fenstererker, daneben kleine Stube (Fenster verändert), rückwärtig Flur und
Küche. Stockwerksweise Verzimmerung mit Auskragung des Wohnstok-
kes, verbretterter Giebel. Ständer mit Blattzapfen, 4–5 cm dicke Fuß-
und Kopfbänder, Knaggen. Kehlbalkendachstuhl.

halben oder ganzen Höhe der Schwelle herunterreicht und die
Fuge zwischen Ständer und Schwelle deckt.
Zur Sicherung der Geschoßvorkragung dienen Knaggen. An den
Ecken wird der Gratstichbalken entweder allein von einer solchen
in der Diagonalen liegenden Stütze erfaßt oder nur die Rähme
von im rechten Winkel zueinander stehenden Knaggen, oder eine
Dreiergruppe sucht Anschluß an die vorkragenden Rähme und
den Gratstich, oder drei Knaggen wachsen zu einer Einheit zu-   Z 47 b
sammen, oder eine einzige sucht die gleiche Aufgabe zu erfüllen.   T 9
Bei öffentlichen Bauten, aber auch bei größeren Privathäusern,
wurden die Knaggen mit reichen Schmuckgliedern verziert. Am

51

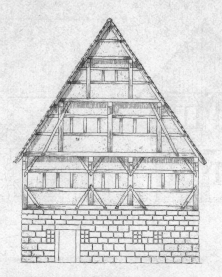

Z 44, 45 Nagold/Kr. Calw, Wohnhaus, Hof- und Straßenseite. Maßstab
1 : 200 (Phleps, Alem. Holzbau, Abb. 236).

Auf der Hofseite rein alemannische Formen: durchlaufende Sturz-
und Brustriegel, dazwischen Fenster mit eingespannten Stielen, angeblattete Kopf- und Fußbänder. Auf der Straßenseite fränkische Formen:
enggestellte Eck-, Bund- und Zwischenständer, eingezapfte große, steile
Streben, Sturzriegel der Fenster verselbständigt und bis zum Rähm rei-
chende Fensterstiele. Die Waagerechte wird durchbrochen, die Senkrechte
hat Vorrang.

Z 42 spätgotischen Rathaus in Markgröningen sehen wir die Knaggen
mit Abwandlungen im Profil, in Stabbündeln, Wappen und Sinn-
bildern, die farbig gefaßt waren. Die Knagge, als ein zum Gebälk
gehörendes Bauglied, findet sich im alemannischen Bereich auch an
den vortretenden Brustriegeln der Fenstererker.

Die zwischen Schwelle und Rähm eingespannte Wand aus Stän-
dern und Riegeln entspricht in ihrer formalen Zurückhaltung der
Z 46 alemannischen Gestaltungsweise. Charakteristisch und belebend
Z 48 wirken die als Bohlen angeblatteten Kopf- und Fußbänder. Schon

52

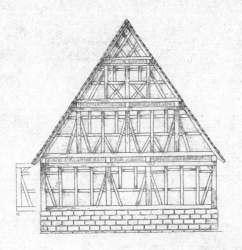

bei römischen Holzbrunnen ist die Aussteifung eines rechtwink-
ligen Rahmens mit angeblatteten Schrägbändern erreicht. Kenn- T 8
zeichnend für die alemannische Bauweise ist das lange Festhalten T 9
an dem althergebrachten angeblatteten Schrägband als Kopf- oder
Fußband, einfach oder verdoppelt mit Schwalbenschwanz oder Z 49
Hakenblatt sowie anfänglich mit dem aus dem Fugenkeil hervor-
gegangenen Fugennagel und später dann mit dem in die Mitte des
Blattes eingetriebenen, hervorstehenden Holznagel. Bei dem Fehlen plastischer Ornamente in dem alemannischen Fachwerk kommt
dem mit besonderer Sorgfalt gestalteten Umriß der Hakenblätter
eine bestimmende Rolle zu. Die Bund- und Zwischenständer
ähneln mit ihren Kopf- und Fußbändern menschlichen Figuren,
die mit gespreizten Armen und Beinen die Last tragen („Mann“, T 33
„Schwäbisches Weible“). Z 49

Es liegt im Wesen der Ständerwand, daß sie folgerichtig in der
Flucht zum Giebel übergreift. Die Giebelfront zeigt eine bis zur
eigentlichen, die Firstpfette tragenden Firstsäule im oberen Dachgeschoß durchgehende Mittelsenkrechte. Die Firstsäule wird von
weit ausgreifenden, angeschwerteten Streben gestützt. Kopf- und
Fußbänder sowie die Riegel und der Kehlbalken sind an die Spar-

53

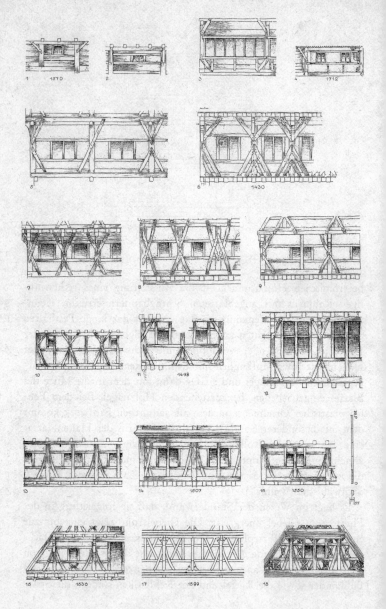

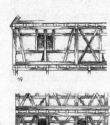

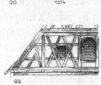

Z 46 Entwicklung vom Bohlenständerwerk zum Fachwerk – erst mit Anblattung, dann mit Verzapfung der Streben (Phleps, Alem. Holzbaukunst, Abb. 81, 82).

1 Vogtbauernhof in Gutach, 1570.   *2* Hansenhof in Lauterbach, Kinzigtal, 17. Jh.   *3* Rathaus auf der Reichenau, 15. Jh.   *4* Schreinerhaus in Haltenhofen/Kr. Fürstenfeldbruck, 1712.   *5* ehemalige Herrschaftskelter in Stuttgart.   *6* Rathaus in Esslingen, 1430.   *7* der „Zoll" in Geislingen, Anfang 16. Jh.   *8* Schloß Altensteig bei Nagold, Anfang 16. Jh.   *9* der „Bau" in Geislingen, Anfang 16. Jh.   *10* Gaden der Pfarrkirche in Dürrn/Pforzheim, um 1500.   *11* aus Dürers Holzschnitt „Aufnahme des Evangelisten Johannes in den Himmel", 1498, rekonstruiert.   *12* Heiliggeisthof in Wimpfen, um 1500.   *13* Speicher in Tübingen.   *14* Kornhaus in Schwäbisch Gmünd, 1507.   *15* Gesindehaus im Kloster Maulbronn, 1550.   *16* „Die Grät" in Schwäbisch Gmünd, 1536.   *17* Riß für den Speicher in Ersingen/Pforzheim, 1593.   *18* Schwäbisch Gmünd, Gotteszell, um 1600.

Bei allen Beispielen laufen die Brust- und Sturzriegel in gleichbleibender Höhe durch die ganze Hausfront durch. Weitere Entwicklung des alemannischen Fachwerks – mit eingezapften Streben – unter fränkischem Einfluß:

19 Stein/Pforzheim, Neue Brettener Straße 3, 1. Hälfte 16. Jh. *20* Münzesheim/Bretten, 1614.   *21* Stürzikon/Empach, Kanton Zürich. *22* Dinkelsbühl.   *23* Riedlingen, sogenannte Alte Kaserne, 1686.

ren angeblattet. Die Fenster ordnen sich in die von den Riegeln gegebene Waagerechte ein. Nicht immer richtet sich die Giebelgliederung streng nach dem inneren Gefüge. Nach 1500 wirken besonders nachhaltig auf die Giebelgestaltung fränkische Gewohnheiten ein mit eingezapften, gebogenen Zierstreben, engerer Stellung der Ständer, Einbinden der Fenster zwischen Bund- und Zwischenständer. Der Halb- oder Krüppelwalm, der bei den frühesten Häusern schon anzutreffen ist (Schwörerhaus in Immenstaad, Schoberhaus in Pfullendorf und Dürerhaus in Nürnberg), führt in der Giebelkonstruktion zu keiner eingreifenden Veränderung. Durch Verlängerung der Rähme der Außen- oder Zwischenwände, der Dachstuhlbinder wie der Unterzüge und Pfetten erreichte man auch für das Dach ein stufenweises Vorkragen. Der im fränkischen Bereich entstandene Schwebegiebel griff auch auf das alemannische Gebiet über und diente auch hier, außer zum Schutz der Wand, wesentlich als Schmuckmotiv.

T 29

Z 53
Z 57
Z 74

T 19

Neben der weiten Ständerstellung und den angeblatteten Bändern ist der Fenstererker ein typisches Element alemannischer Fassadengestaltung. Die zwischen Brust- und Sturzriegel gefaßte Fensteröffnung konnte bei geringer Vorkragung der Hölzer vor die Ausfachung durch einen seitlich schiebbaren Holzladen geschlossen werden. Der notwendige kräftige Querschnitt der die Führungsnut tragenden Riegel ließ sie aus der Flucht heraustreten. Sie wurden in die seitlichen Ständer so eingezapft, daß sie über die Flucht der Ständer vorstehen. Zwischen diese beiden Riegel werden die Fensterstiele zwischengezapft. Dadurch liegt die gesamte Fensterkonstruktion erkerartig vor der Flucht der Außenwand.

Z 50
–52
T 3

Zu den Fenstererkern gehören die Bohlenwände der Wohnstuben und deren Bohlenbalkendecke. Die Bohlenwand als wärmedichte und stattliche Wandkonstruktion bleibt stets nur der Stube vorbehalten. Bei der Bohlendecke, deren genutete Bohlen unabhängig vom Gebälk liegen und ihren Halt allein in einer Nut in den Seitenwänden finden, ist zumeist der flachgebogene Querschnitt gewählt. Verstärkt man die reine Bohlendecke, indem man je eine Bohle mit einem Kreuzholz wechseln läßt, so entsteht die Riemchen- oder Bälkchendecke; ersetzt man die Riemchen durch

Z 52

Z 58
T 23

56

Z 47 a Reichenau-Mittelzell, Rathaus, 15. Jh. (Phleps, Alem. Holzbau, Abb. 25): Fußband, Brustriegel und Bohlenwand.
Z 47 b Schwäbisch Hall, Wohnhaus (Schaefer, Holzbau): Eckständer mit Knaggen und Kopf- und Fußbändern.

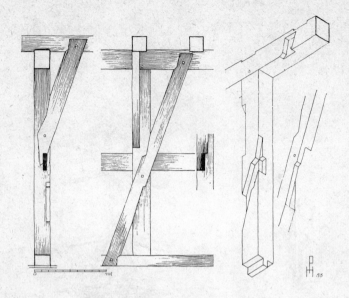

Z 48   Altensteig/Nagold, Schloß, Anfang 16. Jh. (Phleps, Alem. Holzbau, Abb. 177): Angeblattete Kopf- und Fußbänder.

Balken, die Bohlenbalkendecke. Durch Profilierung und aufgelegtes Maß- und Blattwerk findet diese gute Stube reichste Gestaltung im Innern. Bei größeren Spannweiten übernimmt ein Unterzug auf reichgegliederten Säulen mit Kopfbändern und Knaggen, teilweise mit Sattelholz, eine zusätzliche Abstützung.

Strenge Ordnung, klare Konstruktion und karge Dekoration geben dem alemannischen Fachwerk seine monumentale Größe, beeindruckende Schlichtheit und überzeugende zimmermannsmäßige Gestaltung.

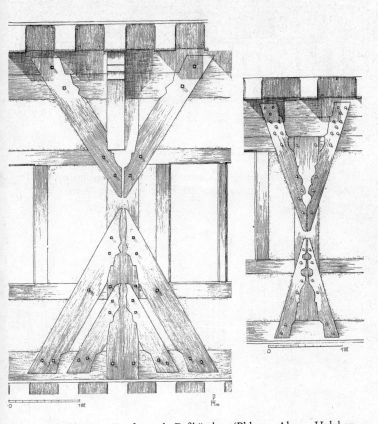

Z 49 Angeblattete Kopf- und Fußbänder (Phleps, Alem. Holzbau, Abb. 198, 200).
Esslingen, Rathaus, 1430: Bundständer. Geislingen/Steige, Der Zoll: Zwischenständer.

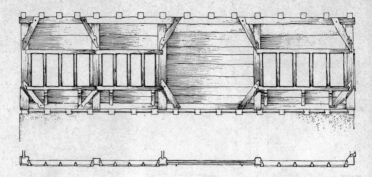

Z 50 Reichenau-Mittelzell, Rathaus, ehemaliges Vogteihaus, 15. Jh. (Phleps, Alem. Holzbau, Abb. 23): Bohlenwand mit Fenstererker.

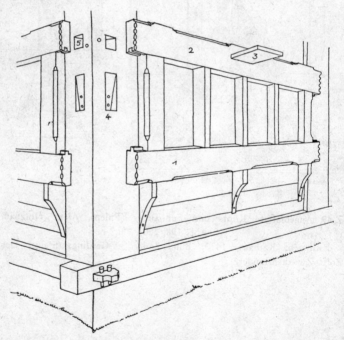

Z 51 Dietenbach/Kirchzarten (Gruber, Bodensee, Abb. 9): Fenstererker in Bohlenwand.

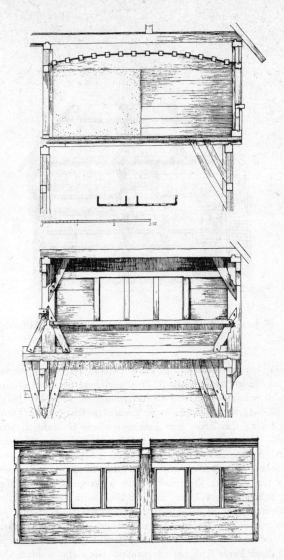

Z 52 Immenstaad/Bodensee, Schwörerhaus, 1528. Maßstab 1:100.
(Phleps, Alem. Holzbau, Abb. 508): Querschnitt und Teilansicht des
Bohlenständerwerkes mit Fenstererker und Riemchendecke.

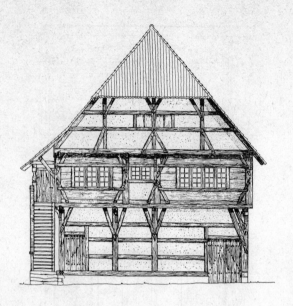

Z 53 Immenstaad/Bodensee, Schwörerhaus, Westansicht. Maßstab 1 : 200.

T 7, 8 Z 53–56 Immenstaad/Bodensee, Schwörerhaus, ehemaliges Vogthaus, datiert am Kellereingang 1528, 1909 eingreifend restauriert (Rekonstruktionszeichnungen von Gruber, Bodensee, Abb. 152–158).

10,60 × 13,30 m; durch zwei Unterzüge längsgeteilt; Querwände; Schwellen an den Ecken mit Steckzapfen und Holzschloß; Ständer in Schwelle gezapft; einfache, an den Ecken doppelte, angeblattete Kopfbänder. Außenaufgang; im Obergeschoß Längsflur mit Seitenräumen, drei Stuben mit Bohlenwänden, Bohlenbalkendecke und Fenstererker (heute frei ergänzt). Oberstock 26 cm auskragend, auf der Traufseite durch Balkenlage auf Rähm, auf der Giebelseite durch die Rähmhölzer (ein Deckenbalken in der Flucht der Giebelwand, ein zweiter dicht vor diesem mit dem Auflager auf den nach den Giebelseiten auskragenden Wandrähmen und den ebenso weit auskragenden Unterzügen, am Nordgiebel durch kurze Knaggen unterstützt). Die Gefache durch Querriegel aufgeteilt, so daß die typischen, langgestreckten Felder entstehen. Die Ständer des Oberstocks sitzen auf den Balken auf, die Schwellen sind als Riegel zwischengezapft. Unter den Stuben werden die Einschubböden

62

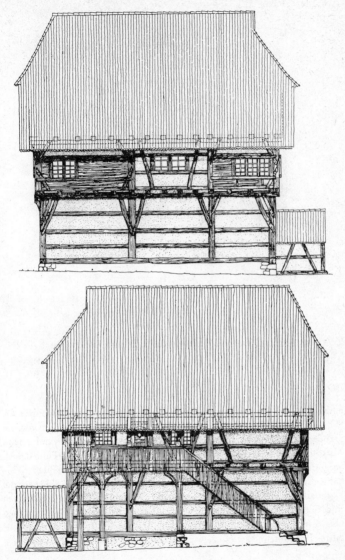

Z 54, 55 Immenstaad / Bodensee, Schwörerhaus, Süd- und Nordansicht.
Maßstab 1 : 200.

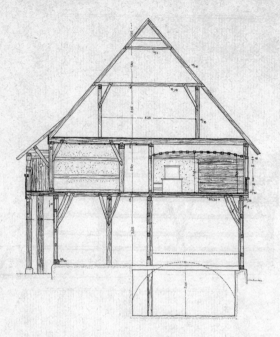

Z 56 Immenstaad/Bodensee, Schwörerhaus, Querschnitt. Maßstab 1 : 200.

nach außen sichtbar, dagegen nicht, wie sonst üblich, die Bodenbretter.
Die Sturz- und Brustriegel der Fenstererker stehen um 5–6 cm vor die
Ständerflucht vor und sind von oben, ebenso wie die Bohlenwände, beim
Aufschlagen des Hauses zwischen den zuerst mit Kopf- und Fußbändern
aufgestellten Ständer eingeschoben. Die Dachbalken des stehenden Kehl-
balkendachstuhls kragen nur knapp aus; die Sparrenfüße sind an die
Dachbalken angeblattet und haben keinen Aufschiebling; die Kehlbalken
sind ohne Schwalbenschwanz mit den Sparren verblattet; Binder stehen
über den durchlaufenden Querwänden, der vorderste über der Stuben-
mitte. Rot gestrichenes Holz, weiß gekalkte Gefache.

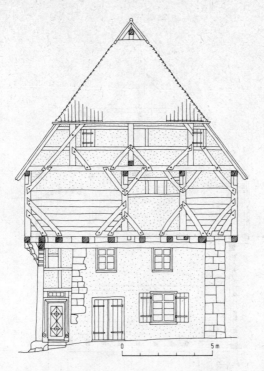

Z 57 Pfullendorf, Schoberhaus, Ostansicht. Maßstab 1 : 200 (Rekonstruktion von Binding, Mechmann).

Z 57–60 Pfullendorf/Kr. Überlingen, Schoberhaus, wohl Anfang 16. Jh.,   T 4–6
Datum 1314 an einer Tür des steinernen Kerns nicht auf das Fachwerk
     zu beziehen, nach Schrift 17. Jh.; 1959–61 restauriert.

Unter Verwendung eines älteren, steinernen Wehrbaus auf diesen und
die Stadtmauer aufgesetzt und somit den gestelzten Häusern von Immenstaad (1528) und Beuren (um 1500) verwandt, ebenso in Konstruktion und Details. Ständer, Schwelle und doppelter Rähm durch teilweise
doppelte Kopf- und Fußbänder gesichert, Oberstock allseitig 65–90 cm
über Knaggen auskragend, Eckständer des Oberstocks auf Balkenlage,
Zwischenständer in Schwelle und Rähm eingezapft und wie im Unterstock gesichert. Oberstock quergeteilt, im östlichen Drittel zwei Stuben,
dazwischen vermutlich die Küche. Fenstererker nach Befund, übrige Fenster frei ergänzt.

65

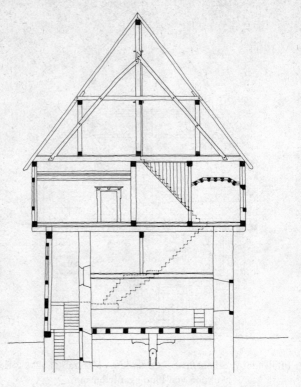

Z 58 Pfullendorf, Schoberhaus, Querschnitt. Maßstab 1 : 200 (Ossenberg,
Kahmen nach Bestandsaufnahme vor Restaurierung).

Z 59 Pfullendorf, Schoberhaus, Südansicht. Maßstab 1 : 200 (Rekon-
struktion von Binding, Mechmann).
Z 60 Pfullendorf, Schoberhaus, Grundriß Oberstock auf Balkenlage.
Maßstab 1 : 200 (Ossenberg, Kahmen, Mechmann).

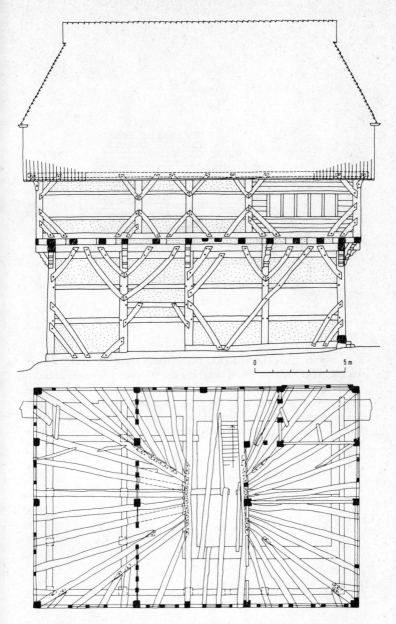

67

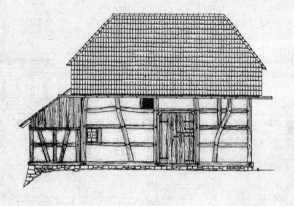

Z 61 Wangen am Untersee/Kr. Überlingen, Haus Nr. 121, Vorderansicht, wohl noch 15. Jh. Maßstab 1 : 200 (Gruber, Bodensee, Abb. 33).
Ein zweigeschossiges Mitteltennenhaus, Wohnstube mit Bohlenwand,
Fenstererker, Bohlenbalkendecke. Vier Bundständer durch Riegel und
über die zwei Geschosse durchlaufende, schräg eingezapfte bzw. angeblattete Streben versteift. Kehlbalkendach mit stehendem, verstrebtem
Stuhl.

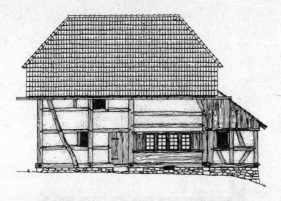

Z 62 Wangen am Untersee, Haus Nr. 121, Rückansicht (Fenstererker rekonstruiert), wohl noch 15. Jh. Maßstab 1 : 200 (Gruber, Bodensee, Abb. 32).

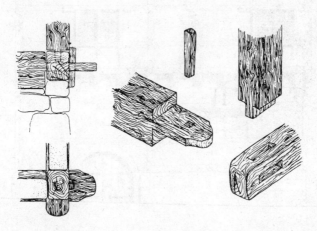

Z 63 Wangen am Untersee, Eckverbindung der Grundschwelle mit Eckständer durch Zapfenschloß (Gruber, Bodensee, Abb. 35).

T 18   Z 64 Sindelfingen/Kr. Böblingen, Hintergasse 9, Wohnhaus, Anfang
16. Jh., heute verändert (Inventar Württemberg, Neckarkreis, Tafel).
Vgl. T 168.

70

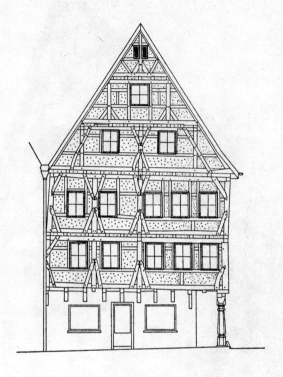

Z 65 Urach/Kr. Reutlingen, Beim Bade 2, Wohnhaus und Apotheke. T 15
Maßstab 1 : 200 (Heinitz, Abb. 292).

Etwa um 1500, seit 1603 nachweisbar Apotheke, mehrfach umgebaut, dennoch die alemannische Gliederung erkennbar als Drei- bzw. Vierständerrähmbau; rechte Hälfte einst Wohnstuben mit Bohlenwand, angeblattete Fuß- und Kopfbänder mit reichem Umriß, dreifach stehender Kehlbalkendachstuhl, im Giebel nur unteres Drittel ursprünglich mit geblatteten Schwertungen.

71

T 19   Z 66, 67 Sindelfingen/Kr. Böblingen, Untere Burggasse 3 / Turmgasse,
wohl Anfang 16. Jh. Maßstab 1 : 100 (Inventar Württemberg, Atlas;
Mechmann nach Heinitz, Abb. 4). Ansicht 1888 und Bauaufnahme.

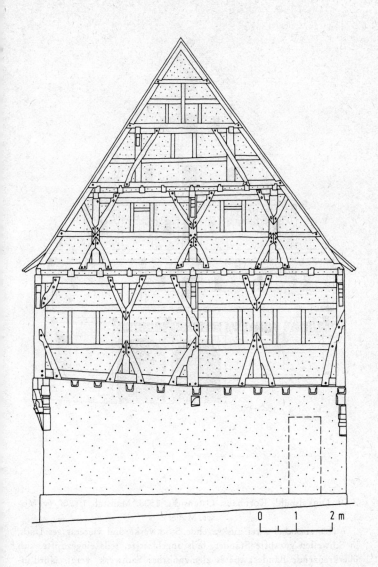

0   1   2 m

T 17   Z 69 Dinkelsbühl, Kornhaus, Ostansicht, 1508. Maßstab 1 : 200 (v. Moser, Mayer).

Auf Steinsockel zwei auskragende Stockwerke und vieretagiges Dach,
in Schwellen gezapfte Ständer, teils angeblattete, teils eingezapfte, sich
überkreuzende Bänder; spätes alemannisches Fachwerk, vergl. Nördlingen Z 70.

74

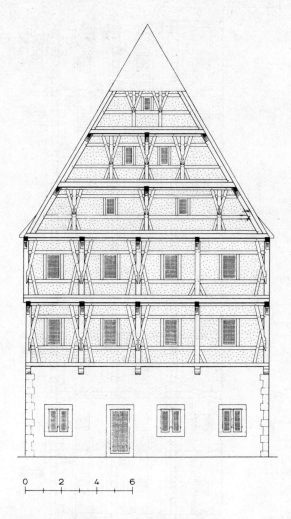

Z 70 Nördlingen, Marktplatz 1, Engel-Apotheke, 1513. Maßstab 1 : 200
(v. Moser, Mayer).
Steinerner Sockel (Fenster rekonstruiert), zwei vorkragende Stockwerke mit fünf eingezapften Ständern, eingezapfte und angeblattete
Bänder, liegender Kehlbalkendachstuhl.

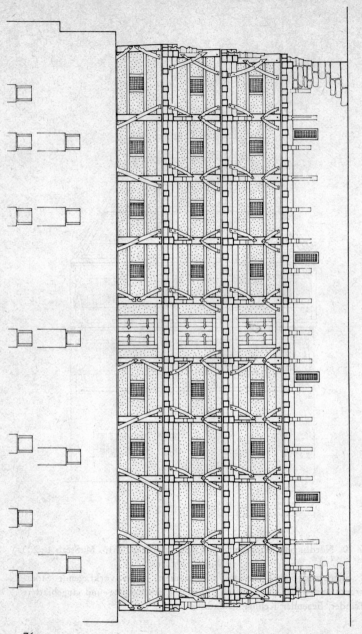

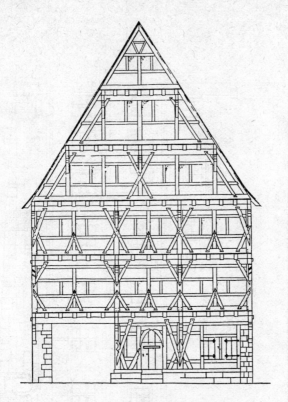

Z 72 Markgröningen/Kr. Ludwigsburg, Fruchtscheuer des Spitals, 1526.
Maßstab 1 : 200 (Heinitz, Abb. 2).

Z 71 Geislingen a. d. Steige/Kr. Göppingen, Bauhof, ehemaliger Frucht-   T 16
kasten, Anfang 16. Jh., 1961 wiederhergestellt. Maßstab 1 : 200 (Mayer).

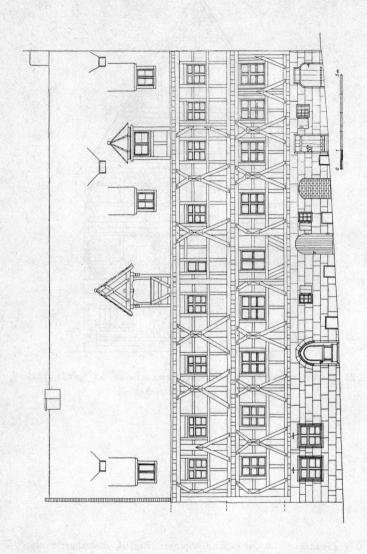

Wenn als typisches Merkmal alemannischen Fachwerkbaus Rähmbau mit weiter Ständerstellung, angeblattete Kopf- und Fußbänder und Fenster zwischen gefachüberspannenden Brust- und Sturzriegeln festgestellt werden konnte, so gilt das Verstärken der Kopf- und Fußbänder zu Streben und deren Einzapfung in Schwelle, Ständer und Rähm als fränkischer Einfluß. Der Über- gang vom Band zur Strebe äußert sich zunächst darin, daß man ein Ende anblattet und das andere einzapft (Weißenburg, 1480; Nordgiebel des Bauhofes in Geislingen, Anfang 16. Jh.; Kornhaus T 16 in Dinkelsbühl, 1508; Nördlingen, Marktplatz 1, vor 1513). Die T 17 durchgängige Verwendung der Anblattung wird aber auch noch bis in die 30er Jahre des 16. Jh. beobachtet (Fruchtscheuer in Z 72 Markgröningen, 1526; Schwörerhaus in Immenstaad, 1528; Abts- T 8 haus des Klosters Bebenhausen bei Tübingen, 1532), auf dem Lande auch noch länger. In Nürnberg treten Verzapfungen seit dem frühen 16. Jh. auf (Mauthalle, 1502). Gleichzeitig mit den Veränderungen der Streben verschwindet auch nach und nach die außen sichtbare Dielung des Fußbodens, die Ständer werden ge- ringer dimensioniert und rücken näher zusammen, dennoch bleibt die Tendenz der Waagerechten, hervorgerufen durch die über den Bau durchgezogenen Brust- und Sturzriegel. Im letzten Viertel des 16. Jh. treten dann, in Anlehnung an die spätgotischen Maß-

Z 73 Nürnberg, Untere Kreuzgasse 4, 15. Jh. Maßstab 1 : 200 (Schwem- mer, Nürnberg, Abb. 44).

Gequadertes Erdgeschoß, Ende 15. Jh., mit ehemals fünf Eingängen industriell genutzt, im Keller Mühlräder. Zwei nicht ausgekragte Stock- werke in Fachwerk 15. Jh., mit Ausbesserungen im 16./17. Jh. Grund- schema Ständer zwischen Schwelle und Rähm, steile angeblattete Fuß- bänder und kurze Kopfbänder (dem Getreidespeicher in Spalt/Kr. Schwa- bach, um 1490, sehr ähnlich). Fenster zwischen Brustriegel und Rähm mit Stielen. Zwischenriegel und Stiele unter den Brustriegeln sind wohl fränkische Veränderungen des 16./17. Jh. Der linke Giebelerker Ende 15. Jh., der rechte Erker mit dreiseitig vorspringendem Walm um 1600.

Z 74 Nürnberg, Albrecht-Dürer-Straße 39 (Dürer-Haus), Ostansicht,
Mitte 15. Jh. Maßstab 1 : 200 (Schwemmer, Nürnberg, Abb. 23).

Der heutige Bau dürfte im Kern aus der Mitte des 15. Jh. stammen.
Am 14. 6. 1509 erwarb ihn Albrecht Dürer aus dem Nachlaß des Astro-
nomen Bernhard Walther und bewohnte ihn bis zu seinem Tode 1528.
Auf zweigeschossigem Unterbau zwei Stockwerke in Fachwerk, Ständer
mit angeblatteten Bändern stehen nicht übereinander, Erker wohl erst
17. Jh.

werkfiguren und durch Weiterentwicklung des Andreaskreuzes, Gefachverzierungen durch gebogene und gezackte Verstrebungen, die friesförmig aneinandergereiht werden, und reich verzierte Fenstererker auf. Die durchlaufenden Brust- und Sturzriegel werden zwar beibehalten, die engere Stellung der Ständer, teilweise stockwerkhohe Streben und Durchbinden der Fensterstiele bringen aber eine stärkere Unterbrechung und Vertikalisierung, die in der barocken Spätform durch das die Wand überspinnende Holzzierwerk weitgehend verdeckt wird. Das Haus Kammerzell am Münsterplatz in Straßburg von 1581 ist mit Renaissanceschmuck fast überladen, in der Dekoration von der Steinarchitektur beeinflußt, bewahrt doch den Charakter des Holzbaus, allerdings in fränkischer Gestaltungsweise mit Fenstererkern, deren Stiele durchbinden. Diese Phase bringt die Häuser im alemannischen Gebiet denen in Franken, im Rheinland und an der Mosel nahe, in der Trennung der einzelnen Konstruktionshölzer aber immer noch unterschieden von den sächsischen Gewohnheiten, die Fußstreben zu Holzdreiecken und dann zu einem vertäfelten Brüstungsband zusammenwachsen zu lassen.

T 32

T 33

T 36

T 37

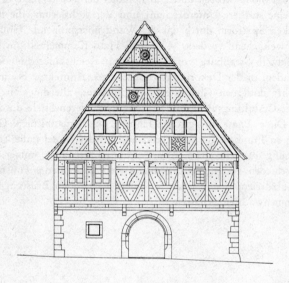

Z 75 Strümpfelbach/Kr. Waiblingen, Weingärtnerhaus, 1587. Maßstab 1 : 200 (Heinitz, Schwäbische Alb, Abb. 248).

Steinerner Unterstock mit Weinkeller, im Oberstock links Wohnstube, rechts Schlafraum, darüber Speicherräume. Stockwerksweise um Wanddicke vorgekragt. Kopfbügen zu ausgesägten Knaggen reduziert, gekrümmte Fußstreben, variierte Andreaskreuze und reichgeschnitzte Scheiben dienen der Auflockerung der mit durchlaufenden Kopf- und Brustriegeln noch alemannisch gestalteten Fassade.

Z 76 Strümpfelbach/Kr. Waiblingen, Rathaus, 1591 (Inventar Württemberg, 1890).

Knaggen statt Kopfbügen, verzierte Ständer, Rosetten auf Ständer
und Fußstreben, Einspannen der Fensterstiele zwischen Schwelle und
Rähm zeigen die Entwicklung vom Weingärtnerhaus (Z 75) zum Rathaus in Uhlbach (Z 77).

83

Z 77 Uhlbach/Stuttgart, Rathaus, 1612 (Inventar Württemberg, Neckarkreis 1889, S. 161).

Durch Ausbildung der Fensterstiele zu Ständern dichte Stellung und Vertikaltendenz. Hohe Streben, Kopf- und Fußdreiecke, Andreaskreuze zeigen die Aufgabe alemannischer Konstruktion zugunsten fränkischer Gestaltung.

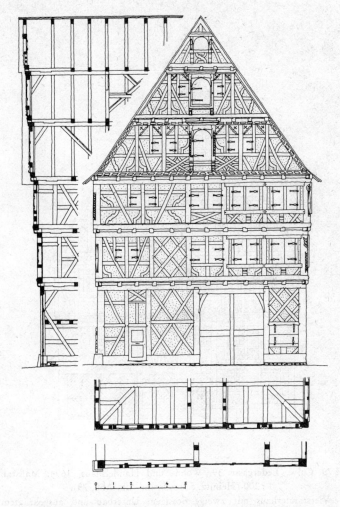

Z 78 Riedlingen/Kr. Saulgau, „Alte Kaserne", 1686. Maßstab 1 : 200
(Ossenberg, Kahmer).
Fränkisch beeinflußte Ständerstellung, lange Streben, verschlungene
Andreaskreuze, Schnitzwerk und fränkische Fenstererker zwischen Stän-
dern, aber außen sichtbare alemannische Fußbodendielung.

T 35 Z 79 Calw, Ledergasse 39, Wohn- und Handelshaus, 1694. Maßstab
1 : 200 (Heinitz, Schwäbische Alb, Abb. 79).
 Vierständerhaus mit zweigeschossigem Unterbau und ausgekragtem
Oberstock, im liegenden Kehlbalkendachstuhl Lagerräume. Dichte Ständerstellung, gekrümmte Andreaskreuze, Erker.

Z 80 Alpirsbach/Fr. Freudenstadt, „Altes Schloß", Ambrosius-Blarer- T 42
Platz 5, 17. Jh., Umbau am Steinportal datiert 1708 (Inventar Württemberg, 1889). Vgl. T 196.

Z 81 Enzweihingen/Kr. Vaihingen, 18. Jh. (Inventar Württemberg, Neckarkreis 1889, Tafel).

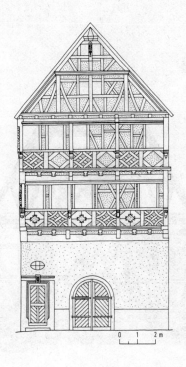

Z 82 Bietigheim/Kr. Ludwigsburg, Schieringerstraße 13, Herzogliches
Amtsgebäude, 1793. Maßstab 1 : 200 (Heinitz, Mechmann).

Reichgegliederte Fußschwellen, profilierter Rahmen im Giebel, ge-
schnitzte Eckständer, reich variierte Andreaskreuze, alles Formen der
verspielt-dekorativen Spätzeit.

Z 83 Dürrmenz/Kr. Vaihingen, Bauernhaus, 17. Jh. Maßstab 1 : 100
(Das Bauernhaus im Deutschen Reiche. Atlas. Dresden 1906, Württemberg 7).

Z 84 Ebermannstadt/Oberfranken, Markt 21, Ende 18. Jh. Maßstab
1 : 200 (Mechmann nach Bauaufnahme).

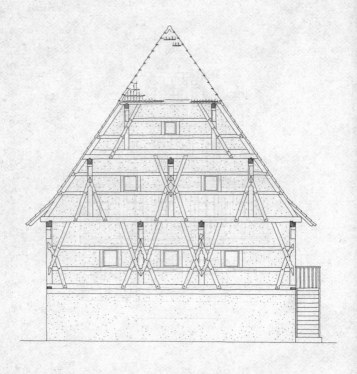

Z 85 Bad Buchau im Federsee/Kr. Saulgau, Badstraße 10 (Haus 331),
16. Jh. Maßstab 1 : 200 (Ossenberg, Kahmen).

Z 86 Spangenberg/Hessen, Am Markt 198, Haus Kurzrock, um 1480
(Bauernhaus, Atlas Hessen-Nassau 2).

C. DER FRÄNKISCHE FACHWERKBAU

Das fränkische Fachwerk ist gekennzeichnet durch Ständer-Geschoß-Bau, später mit Rähmbau kombiniert und mehrstöckig; Ständerstellung zumeist über jedem zweiten Deckenbalken; Überhang mit Knaggen, im 17. Jh. Verminderung des Überhanges und Verschalung der Deckenbalken; anfangs Kopf- und Fußbänder, dann Kopf- und Fußstreben, Andreaskreuze, später dreiviertelhohe Ständerverstrebungen, ab Mitte 16. Jh. „Mann-Figur"; mit den Ständern verbundene reich beschnitzte Fenstererker ab zweite Hälfte 16. Jh. Die fränkische Konstruktions- und Gestaltungsweise findet sich in Hessen und im Mittelrhein-Mosel-Gebiet, seit der Mitte des 16. Jh. auf das alemannische Gebiet und im 17. Jh. auch auf Mittel-, Ost- und Südost-Deutschland übergreifend.

Für das fränkische Fachwerk in Hessen hat H. Walbe die Formgesetze der äußeren Fachwerkwand erhellt, jedoch zumeist das Innengerüst außer Betracht gelassen, dem H. Winter sein besonderes Interesse zugewandt hat und der das Haus als Ganzes in den gegenseitigen Beziehungen zwischen Außenwand und Innengefüge erkannte. Ob Querbindergefüge oder Firstständer oder ein aus beiden zusammengesetztes Mischgefüge gewählt wurde, ist für die Gestaltung der Hausansicht eine wichtige Frage, hier gibt es landschaftliche und zeitliche Unterschiede, aber wohl auch gestalterische, also stilistische.

Bei den ältesten Fachwerkhäusern in Marburg, Gelnhausen, Alsfeld, Gießen und Kobern finden wir schon eine vereinzelt noch bis ins 17. Jh. vorkommende Kombination aus dem älteren Ständerbau und dem jüngeren Rähmbau. Der Ständerbau beginnt über steinernem Sockel, geht durch zwei oder drei Geschosse, trägt dann häufig einen Rähmstock und kehrt im Dachgiebel wieder. Das Fachwerk des Ständerbaus besteht zunächst, wie beim Marburger Haus, aus Eck-, Bund- und Zwischenständern und aus durchgehenden angeblatteten Brustschwertungen und eingezapften Riegeln, beim Gelnhausener Haus mit Schwellriegel, später dann mit Schwellbalken. Der Mittelständer der Giebelwand steigt als riesenhafter Stamm vom Erdboden bis in den First hinauf (Siebenbürger Hof in Heppenheim). An ihm haben alle waagerechten und viele schrägen Hölzer der Wand, wie Schwellen, Rahmen, Kehlbalken, Riegel, Fuß- und Kopfstreben, in Verblattungen und Ver-

Z 88

Z 87

Z 92
T 1

zapfungen einen festen Halt; er ist ein Bundpfosten und hat als solcher von innen her die Unterzüge der Zwischendecken zu tragen, die mit ihm verblattet sind. Zur Sicherung der rechten Winkel dienen lange Schwertungen, die sich schräg über alle Hölzer des Fachwerks hinweglegen. Die Winkelsicherheit wird ferner durch zunächst angeblattete, dann eingezapfte Kopf- und Fuß-streben und durch Verriegelung der vorkragenden Deckenbalken mit den Ständern durch Bügen und später Knaggen erreicht. Im Verlauf des späteren 15. Jh. wird die Knaggenverriegelung durch Verkämmung der Deckenbalken mit der Schwelle bzw. dem Rahmen ersetzt; dadurch wird die Vorkragung nicht mehr notwendig. Gleichzeitig werden die Kopf- und Fußstreben verlängert, in sich und mit dem Brustriegel verblattet und seit etwa 1550 vereinfacht dadurch, daß die Überblattung wieder preisgegeben und die Kopf-strebe zum Winkelholz verkleinert wird und so die Mannfigur bildet. Die kurzen Streben unterhalb des Brustriegels haben nur noch schmückende Aufgaben in Form von Dreiecken, Halbkreisen, Kleeblattbögen, Andreaskreuzen oder Rauten, Verschlingungen von geraden oder krummen Hölzern.

Z 88
T 1

Z 21

T 71
T 72
T 73
–77

Der verhältnismäßig weite Abstand der Ständer erfordert zu-sätzlich Stiele als Gewände und Fenstertrennung, die in die Brü-stungsschwertung bzw. in den Brüstungsriegel und in das Rahmen-holz eingezapft sind; damit unterscheiden sich die fränkischen Fenster von den alemannischen, bei denen die Fensterstiele zwi-schen die durchlaufenden Brüstungs- und Sturzriegel eingespannt sind.

T 49

T 6

Im Laufe der Entwicklung wird die Einfügung der Geschosse im Ständer- und Rähmbau abgelöst durch die Aufstockung, und damit werden die Steckgebälke abgelöst durch die auflagernden Gebälke; die Balken greifen über den Rahmen des unteren Stock-werks hinweg und werden außen von dessen Ständern aus, also von unten her, mittels Knaggen verriegelt, seit dem ausgehenden 15. Jh. verkämmt. Eine ähnliche Entwicklung ist im alemannischen Gebiet zu beobachten, während in Sachsen die Knaggen beibehal-ten werden.

Z 88

T 50 b

Z 87–89 Marburg a. d. Lahn, „Schäfersches Haus", um 1320. Maßstab
1 : 100 (Mechmann nach Schäfer 1886).

Das älteste Fachwerkhaus Deutschlands, von dessen Aufgehendem wir
Kenntnis haben, ist das um 1320 erbaute und beim Abbruch 1875 von
K. Schäfer aufgenommene Haus in Marburg, ein dreigeschossiges Doppel-
haus in engbebauter Straße, von den Nachbarhäusern durch schmale
Traufgäßchen getrennt. Das einst wohl von zwei Handwerkern bewohnte Haus hatte unter dem First eine von der Straße bis zum Hof
ohne Unterbrechung durchlaufende Wand; an jeder Seite der Scheide-
wand lag ein langer Flur, von dem aus etwa in der Mitte eine Treppe
in Querrichtung aufstieg; vorn Laden, dahinter Werkstatt, oben Woh-
nung, darüber Lager. Das Hauptgerüst besteht aus drei Reihen von je
fünf, in gleichen Abständen aufgestellten, 30/30 cm dicken und 8 m
hohen Ständern mit angearbeiteten Konsolen als Auflager für die Riegel.
Die Ständer sind in jedem Geschoß in der Längsrichtung durch lange
Riegel, in der Querrichtung durch Deckenunterzüge gegeneinander versteift. Zwischen Ständern und Unterzügen sind Kopfbänder angeblattet.
Die großen Gefache der Seitenwände sind durch eingejagte Holzkreuze
in kleinere Gefache aufgeteilt und mit 6 cm dicken angeblatteten Schwertungen abgesteift. Fußbänder fehlen, weil das Hauptgerüst keine
Schwelle hat. Die Deckenbalken liegen nicht in der kürzeren Querrichtung, sondern über zwischengezapften Unterzügen in der Längsrichtung,
um geschoßweise den an der Straßenseite vorgestellten und vorkragenden Rähmbau zu tragen. Die Dachbalken liegen quer, denn sie tragen
das Dach und fassen zugleich die Rahmenriegel der Seitenwände. Das
Erdgeschoß des straßenseitig vorgesetzten Rähmbaus mit zwei Türen
und vier Ladenöffnungen ist unmittelbar an die vorderste Ständerreihe
angelehnt; ihm fehlt, wie dem Hauptgerüst, die Schwelle. Die erste
Wohnebene ist aufgestockt, ebenso die zweite, beide um je 50 cm vorgekragt mit Hilfe der vom Ständerbau aus vorgestreckten Deckenbalken.
Die Ständer des Rähmbaus haben den doppelten Abstand voneinander
wie die Deckenbalken, so daß nur jedes zweite Balkenende durch eine
Büge vom unteren Ständer her gefaßt wird. Die Ständer sind vorn an
jedem zweiten Balken in Zapfen eingehängt und unmittelbar darüber
durch einen Fußriegel verbunden; sie enden frei nach unten in einer Zu-
spitzung und einem Knauf. In Fensterbankhöhe verbindet eine vor-
stehende, profilierte Brustschwertung alle Ständer, denen sie vorgeblattet
ist. In den fensterlosen Feldern sind die Eckständer und der mittlere
Bundständer mit Kopfbändern gesichert. Die Fenster sind unabhängig
von den Ständern mit eigenen Gewände- und Zwischenstielen oberhalb
der Brustschwertung angeordnet.

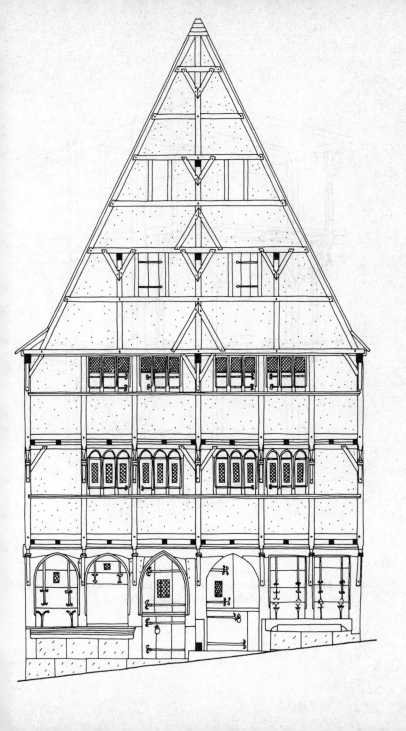

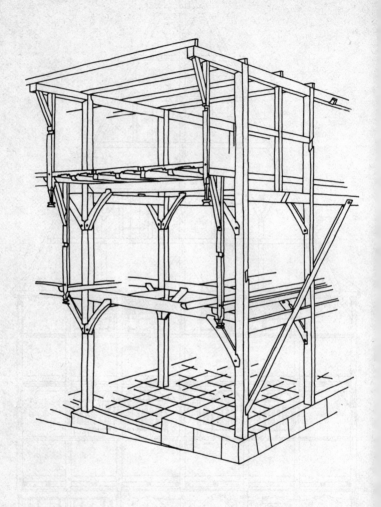

Z 88 Marburg, „Schäfersches Haus", um 1320, Konstruktives Gerüst
(Mechmann nach Schäfer 1886).

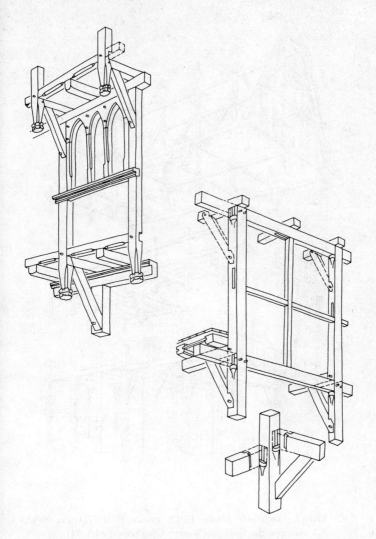

Z 89 Marburg, „Schäfersches Haus", um 1320, Seitenwand und Giebelwand im ersten Oberstock (Mechmann nach Schäfer 1886 und Winter,
Oberhessen, Abb. 19).

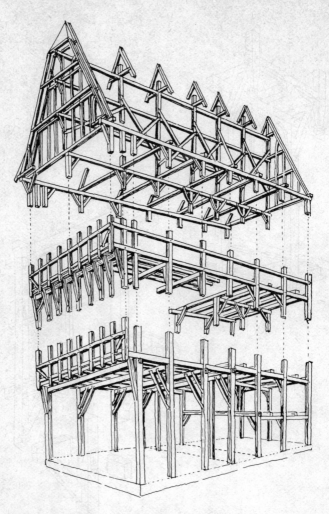

T 50 a   Z 90   Alsfeld, Hersfelder Straße 10/12, zweite Hälfte 14. Jh., Rekon-
T 51   struktion des Gefüges (Winter, Oberhessen, Abb. 24).

In der Anlage eines Doppelhauses und in der Kombination von Ständerbau und straßenseitig vorgehängtem, auskragendem Rähmbau gleicht
das Haus dem Schäferschen Haus in Marburg, jedoch stehen die Ständer
in Alsfeld in engerem Abstand.

100

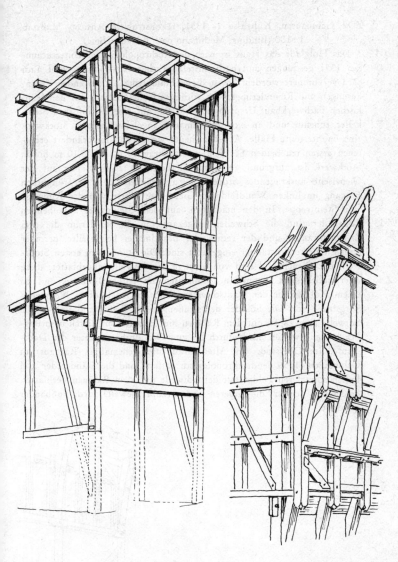

Z 91 Gießen, Kirchstraße 2 und Alsfeld, Hersfelder Straße 10/12, zweite T 52 b
Hälfte 14. Jh., Vorkragung (Winter, Oberhessen, Abb. 17, 23 a).

Z 92 Gelnhausen, Kuhgasse 1, 1351, rekonstruierte Ansicht. Maßstab
1 : 100 (Binding, Mechmann nach Bauaufnahme).

T 1   Das Holz für das Haus ist nach dendrochronologischen Untersuchun-
T 48   gen 1351 geschlagen und nach mittelalterlicher Gewohnheit wohl auch
T 49   bald verzimmert worden. So ist dieses Haus trotz eingreifender Veränderungen und Renovierungen ein wichtiges frühes Beispiel für den fränkischen Fachwerkbau. Ursprünglich war das auf einem staufischen Stein-
keller ruhende und an eine Brandmauer angelehnte untere Stockwerk
eine ununterteilte Halle. Auf dem heute weitgehend unverändert erhaltenen ersten, zu beiden Straßenseiten auskragenden, i. L. 3,10 m hohen
Stockwerk ist aufgrund von Zapfenlöchern ein zweites, nur auf der
Giebelseite auskragendes Stockwerk zu ergänzen. Zum ursprünglichen
Eingang im linken Wandfeld der Giebelseite führte von der Kuhgasse
eine Steintreppe. In den mächtigen, auf dem Steinsockel aufruhenden
Z 13   Eckständer sind die Schwellen eingezapft, in die wiederum die drei
Zwischenständer und der rechte, der Brandmauer beigestellte, geringer
dimensionierte Eckständer eingezapft sind. Die Ständer im ersten Stock-
werk der Giebelwand sind von vorn in die Schwelle eingeblattet; diese
Z 13   altertümliche Art kommt in Gelnhausen am Alten Brauhaus und an
einem Hofgebäude der Stadtschreiberei und am Adelshof in Weinheim/
Bergstraße vor. Die Ständer der straßenseitigen Traufwand sind in die
Schwelle eingezapft, mit dem Rahmen hinterblattet und liefen ursprünglich in den zweiten Stock durch bis zum Wandrahmen unter der Dachtraufe. Im Oberstock des Alten Brauhauses (ehemaliges Rathaus) in
Gelnhausen (1356 dendrochronologisch datiert) sind die Ständer der drei
linken schmaleren Felder mit der Schwelle und dem Rahmen verblattet,
beides mit Versatz, die anderen sind verzapft, jeweils durch Fußbänder
gesichert.

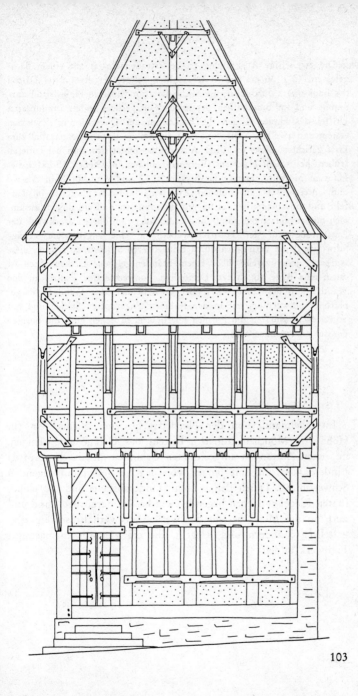

103

Die zweiseitige Auskragung an der Straßenecke ist mit einem flach-
gelegten, 40 × 36 cm dicken Gratbalken gelöst, der etwa zwei Drittel
des Baukörpers durchläuft, die Stichbalken im vorderen Hausdrittel aufnimmt und im Bundbalken des ersten Quergefüges endet. Im hinteren
Drittel des Hauses liegen die Balken in der Querrichtung. Zwischen
erstem und zweitem Stockwerk sind die Balken längs, also parallel zum
First gerichtet; diese auffällige Ausrichtung findet sich auch bei anderen
frühen hessischen Häusern (Burgmannenhaus in Gießen, Schäfersches
Haus in Marburg, Hersfelder Straße 10/12 und Amtshof 8 in Alsfeld
und Untergasse 1/3 in Laubach). Zwei eingezapfte Kopfstreben im Tür-
feld und ein entsprechendes im rechten schmalen Endfeld dienen zusam-
men mit angeblatteten Kopf- und Fußbändern im oberen Stockwerk der
Aussteifung; auf der Traufseite übernahm eine angeblattete schräge
Schwertung, die vermutlich durch beide oberen Stockwerke reichte, diese
Aufgabe. Jeder zweite, über einem Ständer gelegene Deckenbalken ist
durch eine Büge abgestützt. Dreiteilige, hochrechteckige Fenster in den
Wandfeldern des Oberstockes über vorstehender, den Ständern vorge-
blatteter Schwertung, mit in den Rahmen eingezapften Stielen und mit
Sturzriegeln, dürften die Formen überliefern, in denen auch die übrigen
Fenster zu ergänzen sind.

T 52 b
Z 13, 91

T 52 a

Im Rheinland, von der Nordeifel bis zum Niederrhein (in
Höhe von Mönchengladbach), besteht das Gefüge aus wenigen,
in weiten Abständen aufgerichteten Gebinden mit durchgezapften
Binderbalken und mit langen von den Schwellen aufsteigenden
Schwertungen. Durch den weiten Ständerabstand und die einge-
fügten Riegel entstehen liegende Gefache. Im Bergischen Land und
auch an der Mosel besteht das Gefüge aus verhältnismäßig eng-
Z 93   gestellten Ständern und Riegeln, die ein ziemlich engmaschiges
Fachwerk bilden.

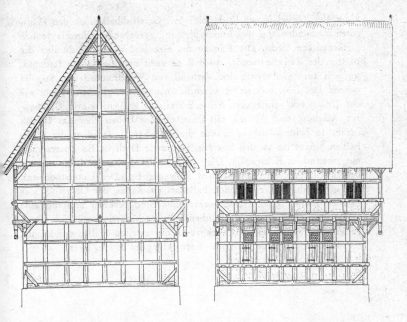

Z 93 Kobern/Mosel, Haus Simonis, 14. Jh. Maßstab 1 : 200 (Eitzen, Rheinisches Fachwerk, Abb. 6).

Zu den ältesten, wohl noch aus dem 14. Jh. stammenden rhein-moselländischen Fachwerkhäusern gehört das von G. Eitzen vorgestellte Haus Simonis in Kobern; in der Entwicklung jünger als Marburg und Alsfeld, etwa auf der gleichen Stufe wie das Haus Kuhgasse in Gelnhausen, ein Stockwerkbau über tonnengewölbtem, halb eingetieftem Keller. Die Eckständer ruhen auf dem Sockelmauerwerk, die Schwellen sind in diese eingezapft; der Rahmen ist aufgezapft. Kurze angeblattete Kopf- und Fußbänder an den Ecken sorgten für vorläufige Standfestigkeit; dann konnten die Zwischenständer eingefügt werden, die unten in die Schwelle eingezapft und oben an die Rahmen angeblattet bzw. auf der Giebelseite ebenfalls eingezapft sind. Jede Wand wurde mit zwei durchlaufenden, angeblatteten, waagerechten Schwertungen geteilt, deren untere um Handbreit vorstehen und an der Unterkante zwischen den Ständern mit breiter Fase versehen sind. Für die über den Schlagläden angeordneten Oberlichter sind besondere Sturzriegel angeblattet. Der Oberstock ruht auf den Deckenbalken, die über die Wandrahmen gekämmt sind und dessen vorspringende Enden mit Bügen verriegelt werden. Am vor-

105

kragenden Giebel ist ein Stichgebälk mit Gratstichbalken an den Hausecken vorhanden, das mit Brustzapfen in angrenzenden, durchlaufenden
Deckenbalken steckt. Die Kämme des Gebälkes greifen auch über die
Blätter der Zwischenständer, so daß sie nicht nur die Balken festlegen,
sondern auch gleichzeitig den Verband von Wandrahmen und Ständer
sichern. Der Oberstock ist im wesentlichen nach dem gleichen System wie
der Unterstock verzimmert. Seine Eckständer hängen, wie in Gelnhausen, Marburg und Alsfeld, mit ihren unteren Enden über das Gebälk
herab. In beiden Giebeln reichen die Zwischenständer über die Dachbalken hinaus bis zu den Sparren. Das steile Dach ist ein Sparrendach
mit zweifachem Kehlgebälk. Die vorkragenden Rahmenenden tragen an
beiden Giebeln einen sogenannten Schwebegiebel. Der Unterstock war,
wie in Gelnhausen, ein großer, hallenartiger Raum, der Oberstock war
in vier Räume geteilt. Der vorkragende Stockwerkbau und das eine
mehrseitige Vorkragung ermöglichende Stichgebälk sind wichtige Neue-
rungen im fränkischen Fachwerkbau in der zweiten Hälfte des 14. Jh.,
die die Grundlage für die reiche Entwicklung im 15. Jh. legen.

Z 94 Lich, Hüttengasse 4, zweite Hälfte 15. Jh., 1957/58 abgebrochen
(Winter, Oberhessen, Abb. 10).

Dem Koberner Haus ähnlich konstruiert ist der zweigeschossige Ständerbau mit ausgekragtem Oberstock in der Hüttengasse zu Lich. Die
Deckenbalken der unteren Balkenlage sind mit verkeiltem Zapfenschloß
durch die Ständer gezapft. Unmittelbar unterhalb der Balken sind die
Gebinde durch eingezapfte und vernagelte Riegel verbunden. Oben werden die Ständer durch einen aufgezapften Rahmenkranz zusammengehalten, der an den Ecken mit überstehenden Enden verblattet ist. Die
Balkenlage des Oberstocks ist auf den Rahmenkranz aufgekämmt. Von
den Ständern steigen außen lange, eingezapfte und vernagelte Bügen
zum Gebälk auf, wo sie mit Zapfen in die vorkragenden Balkenenden
eingreifen. Bis auf den eingezapften Geschoßriegel sind sämtliche Riegel,
Längsschwertungen und Streben erst nach dem Aufrichten der Ständer
und ihrer Festigung durch Gebälk, Bügen und Kopfbänder eingesetzt
worden.

106

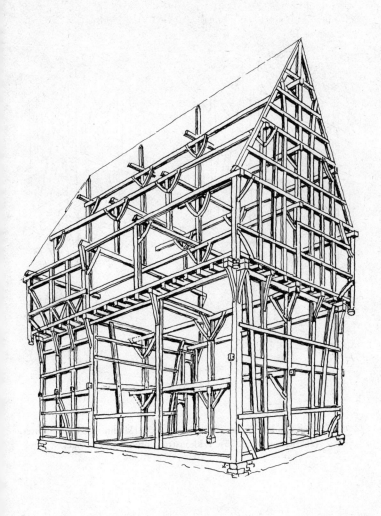

107

Z 95 Großen-Linden/Gießen, Pfarrhaus, 1452 (Mechmann nach Winter, Oberhessen, Abb. 75): Eckkonstruktion des Überhanges.

Am Außenwandgefüge lassen sich Entwicklungsstufen und damit annähernde Datierungen ablesen. Die Ständer- und Geschoß-bauten sind die älteren, die Rahmen- und Stockwerkbauten die jüngeren. Die Sicherung der konstruktiven Ständer durch ange- Z 92 blattete kurze Kopf- und Fußbänder, die sich in der Ständermitte nicht berühren, ist mittelalterliche Gepflogenheit und vor dem letzten Viertel des 15. Jh. anzusetzen. Die sich überkreuzenden Verstrebungen beiderseits der konstruktiven Ständer gehören der T 57 Übergangszeit Mitte 15. bis Mitte 16. Jh. an. Sofern die Brust-schwertungen noch aufgeblattet durchlaufen, liegt die Bauzeit vor T 48 1500; sind sie aber als Riegel zwischengezapft, nach 1500. Die T 62 erste Stufe ist die Hinterblattung der Riegel, die zunächst noch von konstruktivem zu konstruktivem Ständer, dann nur noch von Ständer zu Ständer durchlaufen, aber mit den Schrägstreben wei-ter hinterblattet sind. Zuletzt, in der zweiten Hälfte des 16. Jh., wird auch die Strebenhinterblattung aufgegeben. Die Reihung ein-zeln gesicherter Ständer ist mittelalterlich und älter als die Grup-penbildung, die Rhythmisierung der Wand. Südlich des Mains gehört der Bundständer zu einem wesentlichen Teil des Wand-gefüges schon in mittelalterlicher Zeit; durch ihn wird die geplante und ausgeführte Innengliederung äußerlich sichtbar. Nördlich des Mains, also im rein fränkischen Gebiet, heben sich besonders bei den ältesten Gebäuden die Bundständer durch ihre Dimensionie-rung und durch ihre beigegebenen Verstrebungen aus der übrigen Folge heraus. Da die Bauzeit zumeist unbekannt ist, kann auch nur das allgemeinere Aufkommen von Bundständern ab der ersten Hälfte des 16. Jh. angegeben werden, wobei einzelne Ausnahmen (Büdingen, Grünberg) anscheinend vorhanden sind. In dem Maße, Z 99 wie Quergebinde nachlassen, dringt der Bundständer ein, gleich-zeitig der Wechsel vom Geschoß- zum Stockwerkbau.

In der Mitte des 16. Jh. beginnt die Neuzeit durch die Mann- T 62 Figur. Zunächst sind beide Streben angeblattet, dann wird die T 70 Fußstrebe gezapft, die Kopfstrebe bleibt noch verblattet, bis auch sie gezapft wird. Daneben und zuvor gab es Wandversteifungen, bei denen die Streben unmittelbar von der Schwelle bis zum Rah- T 61 men verlaufen. Eine weitere Sicherungsart der Bundständer ist die durch eine sie überkreuzende, wandhohe Strebe, die an Schwelle,

Ständer und Rahmen angeblattet ist. Seit dem 15. Jh. verwendet man hohe Verstrebungsfiguren an den Eck- und Bundständern; es sind wandhohe Streben inmitten der Wandabschnitte oder in der Nähe der Ständer. Die Verdoppelung dieser Streben erzeugt entweder die V-Figur, die W-Figur oder wandhohe Malkreuze; statt ihrer kann seit der Mitte des 16. Jh. die ganze Wandfläche mit kleinteiligen Verstrebungsfiguren ausgestellt sein.

T 70
T 57

In den rheinischen Landschaften sind die aussteifenden Schräghölzer, die Schwertungen, ein wichtiges Kriterium für die Altersbestimmung. Im 15./16. Jh. schmiegen sich die Schwertungen mit leichter Krümmung an die Ständer an. Im Laufe des 16. Jh. werden die Krümmungen anders herum, nach oben, angeordnet, so daß sich die Schwertungen gegen die Ständer zu stemmen scheinen. Oft sind derartige Schwertungen auch oben mit den Wandrahmen oder den Binderbalken verblattet. Im frühen 17. Jh. wurden die angeblatteten Schwertungen zugunsten von kräftigen Streben mit eingezapften Riegeln aufgegeben. Damit ändert sich der Vorgang des Aufrichtens. Während die Schwertungen erst nach dem Aufstellen des übrigen Gefüges angeschlagen werden, müssen die Streben bereits vorher, zugleich mit den übrigen Gefügegliedern, eingesetzt werden.

Z 104

Die weite Vorkragung der Stockwerke ist älter als die geringe, auch die Bügen- und Knaggenunterstützung der vorgekragten Balkenköpfe. Die Längsbalkenlage ist ein Erinnerungsrest an den mittelalterlichen Ständerbau und läuft in der Übergangszeit aus (Stapelhaus in Miltenberg, vor 1450, Alte Brauerei in Mosbach, um 1450). Verhakung und Überblattung des Rahmenkranzes an den Ecken, Überstehen der Rahmenenden, deren Unterstützung durch Knaggen gehören der frühen Stufe an, finden sich aber nur im Maingebiet (Rathausgasse 14 in Wertheim, um 1450, Altes Spital in Mosbach, um 1450).

Z 96

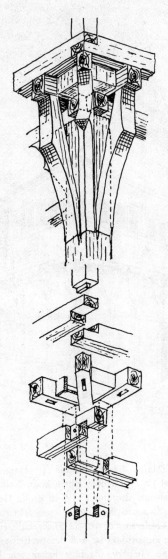

Z 96 Steinheim/Main, Brauhausstraße 1, Haus der Fischerzunft, Vorkragung über Eck (Winter, Rhein-Main-Neckar, Abb. 8).

Z 97, 98 Steinheim/Main, Brauhausstraße 1, Haus der Fischerzunft, zweites Drittel 15. Jh. (Winter, Rhein-Main-Neckar, Abb. 10).

Das im ursprünglichen Zustand 8 × 9 m große Gebäude besteht aus fünf Querbindern, zwischen die jeweils zwei felderteilende Querriegel eingelegt sind. Im vorderen Teil ist ein Stichgebälk eingesetzt, das nach Z 96 den Gratstichbalken ausgerichtet ist und den dreiseitigen Überhang trägt. Alle Querbund- und Giebelwandgefüge haben zur Unterstützung der weit vorkragenden Deckenbalken steile, lange, doppelt gekehlte Bügen. Die Ständer des Oberstocks stehen auf den Traufseiten jeweils über je-

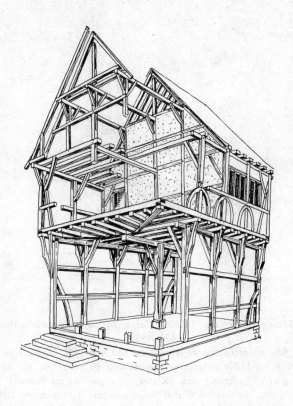

dem dritten Deckenbalken, sie sind in die Saumschwelle eingezapft, an den Rahmen von vorne eingeblattet; viertelkreisförmige Fußstreben in die Schwelle eingezapft, in den Ständer eingeblattet, die Eckständer mit steiler, fast wandhoher Fußstrebe und Kopfband zwischen Strebe und Rahmen; im Giebel stehen die Ständer nicht übereinander, sondern sind eingezapft und mit geraden Fußstreben gesichert. Zusammen mit der Brüstungsschwertung im Oberstock, aber mit Riegeln im Unterstock verweisen die konstruktiven Details auf eine Entstehung im zweiten Drittel des 15. Jh.

113

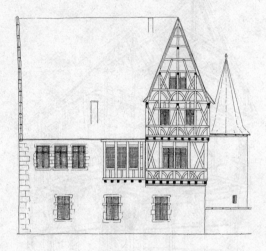

Z 99 Büdingen, Rathaus, 1458. Maßstab 1 : 200 (Winter, Oberhessen, Abb. 125).

Der dem steinernen, zweigeschossigen Bau von 1458 im hinteren Bereich über der Halle aufgesetzte zweistöckige Fachwerkbau mit steilem Giebel dürfte gleichzeitig sein. „Klares, ganz großzügiges Fachwerk der Übergangszeit. Im steilen Giebel beiderseits des Firstständers Nebenständer mit hohen Wandverstrebungen, die ihre Kopfbänder über die Kehlbalken hinausstrecken, während die kurzen Fußstreben, je zwei zu Halbkreisen oder Spitzbögen verbunden, als Schmuck beibehalten wurden – auch an den Wänden der Stockwerke selbst. Die Friese, die sich hier bilden, werden durch die langen Streben der Eck- und Bundständer in ihrer gleichmäßigen Reihung gestört. Die Fenster sind teils mit den Ständern verhaftet, teils haben sie auf einer Seite einen eigenen Gewändestiel, der wie der Kreuzstiel bis zum Rahmen durchbindet und mit der über die Ständer bis zu den Streben durchlaufenden Sturzschwertung hinterblattet sind" (Walbe).

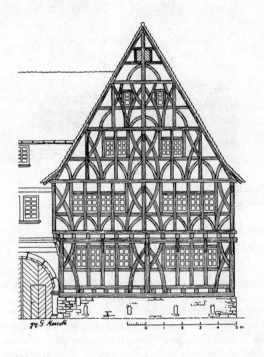

Z 100 Büdingen, Schloßgasse 11. Maßstab 1:200 (Walbe, Abb. 105). T 68
Eine Gliederung auf der am Büdinger Rathaus vorgegebenen Grundlage findet sich am Stiftsglöcknerhaus in Aschaffenburg und in der T 69
Schloßgasse 11 in Büdingen zu Ende des 15. Jh., hier durch Strebefiguren
besonders betonte Firstständer. In dem nur durchgängig benutzten
Stockwerkbau muß der Firstständer stockwerksweise in einzelne Bundständer geteilt werden.

Z 101 Marburg, Schloßsteig/Wettergasse, Fischers Häuschen, um 1500, 1859 abgebrochen. Maßstab 1 : 200 (Winter, Oberhessen, Abb. 82 nach Rekonstruktion von K. Rumpf).

Von dem Bildhauer Ludwig Juppe um 1500 erbaut und mit teilweise figürlich geschnitzten Knaggen ausgestattet.

T 47
T 56
T 57

Z 102 Michelstadt, Rathaus, 1484, Gerüst (Winter, Rhein-Main-Neckar, Abb. 162).

Das Rathaus zu Michelstadt ist eines der wenigen frühen fränkischen Fachwerkhäuser, dessen Bauzeit inschriftlich (für 1484) überliefert ist und dessen Konstruktionsgerüst weitgehend unversehrt erhalten ist und charakteristische Verstrebungsfiguren aufweist. Die mächtigen Ständer und Säulen des auf Steinsockel ruhenden Unterstocks sind jeweils durch doppelte Kopfstreben gesichert und tragen einen doppelten Rahmenkranz. Im leicht auskragenden Oberstock mit charakteristischen achteckigen Eckausbauten werden die Ständer der Giebelseiten von steilen, wandhohen, gekreuzten Streben begleitet, die zusammen mit den Ständern die beeindruckende Wandgliederung übernehmen. Auf den Traufseiten sind die Zwischenständer mit viertelkreisförmig gebogenen, eingezapften Fußstreben gesichert, die sich zu Halbkreisen optisch zusammenschließen; die Hauptständer werden von fast wandhohen Fußstreben gefaßt.

116

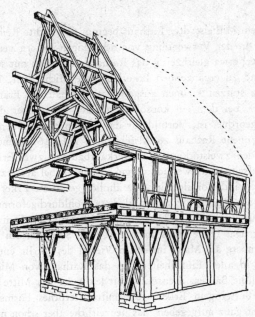

Das Dach besteht aus drei Böden übereinander: im unteren steht unter dem Mittel-Längsunterzug ein senkrechter Stuhl; die Seitenstühle sind liegend ausgebildet (der älteste datierte liegende Dachstuhl); der mittlere Dachboden enthält zwei stehende Stühle; im oberen Dachboden steht ein mittlerer Stuhl, der die Firstpfette trägt. „Alt am Michelstädter Rathaus ist die Verwendung des Firstpfettengerüstes als konstruktiver Grundgedanke: die mittlere Längssäulenreihe in der unteren Halle, der firstparallele Jochbalken der Mittelsäule im oberen Saal, der starke Mittelständer im Oberstock der vorderen Giebelwand, der innere Dachaufbau, insbesondere aber die noch tatsächliche Verwendung einer Firstpfette. Als nicht aus dem Firstpfettengerüst entwickelbar und vermutlich dem alemannischen Rahmenbindergefüge entnommen dürfen die doppelten Rahmenkränze angesehen werden, die Unter- und Oberstock abschließen. Als jüngeres Formelement kann der stete Wechsel konstruktiv nötiger und nur füllender Ständer gelten. Das alemannische Rahmenbindergefüge verlangt nur wenige und deshalb in weiten Abständen stehende konstruktive Ständer und begnügt sich mit diesen. Das alte Firstständergerüst gebraucht in den Giebel- und Querbundwänden ebenfalls ursprünglich nur konstruktiv nötige Ständer, muß sie aber dichter setzen.“ (leicht verändert nach Winter, Rhein-Main-Neckar, S. 269).

117

Mit dem Michelstädter Rathaus beginnt eine dichte Reihe unter-
einander in der Verwendung von achteckigen Erkern verwandter
Rathäuser: etwa gleichzeitig das Rathaus in Gießen mit steinerner
Halle und zu ergänzenden Eckerkern wie Michelstadt, 1509 das
T 58   mit zehn spitzen Helmen ausgestattete Rathaus zu Frankenberg
60   a. d. Eder, bei dem ein konsolengestützter Erker über dem Ein-
gang angeordnet ist, Vorbild für das 1511 mit steinernem Unter-
T 59   bau begonnene Rathaus zu Alsfeld, dem 1514–16 Zimmermeister
Johann den zweistöckigen Fachwerkaufbau mit zwei Erkern auf
der Traufseite und zweifach vorgekragtem Giebel aufsetzte. Diese
Rathäuser sind Vorbild für viele ähnlich gestaltete Erker in Hessen und am Rhein; zugleich sind diese wohldurchgeformten Rathäuser für uns wichtige Datierungsanhalte für die Fachwerkent-
T 70   wicklung. Das Hohe Haus am Markt (Am Schnatterloch Nr. 360)
zu Miltenberg am Main, im ersten Viertel des 16. Jh. entstanden,
verweist in allen Einzelheiten auf das Rathaus von Michelstadt
und ähnliche Bauten, dreistöckig mit leicht aus der Mitte verscho-
benem, fünfseitigem Erker. „Spätmittelalterliches Formengut ist
noch nicht ganz aufgegeben, das neuzeitliche aber schon mit siche-
rer Hand gemeistert" (Winter). Nicht nur mit dem Erker, sondern
T 62   auch in der Übernahme der dichtgereihten, mächtig dimensionier-
T 63   ten Ständer und den zwischen Schwelle und Rahmen über zwei
Gefache gespannten Streben gehen das Neue Schloß in Gießen,
Z 103   1533–39, und das Rathaus in Schotten auf Alsfeld zurück. Die
Entwicklung geht dann hin bis zum Rathaus in Butzbach von
Meister Johann Nebel 1559, hier schon mit einem vom Rhein be-
einflußten geschweiften Giebel.

Die weitere Entwicklung des Fachwerkbaus liegt in der Verein-
fachung der Strebefiguren, in der Verwendung des „Mannes", die
scharfe Betonung der Trennung der einzelnen Stockwerke im
Z 106   Rähmbau bis hinein in den Giebel (Rathaus in Berkach, 1597);
kein Hochstreben, kein betonter Firstständer mehr. Allein die
Waagerechte herrscht vor; der Erker sitzt genau in der Mitte,
T 62   rechteckig im Grundriß, nicht mehr, wie bisher, mehrfach gebro-
T 73   chen und dadurch anschmiegsamer. Die Brüstungsfriese sind rein
dekorative Gefachfüllungen und betonen das Horizontale, binden
die Erker und Fensterbänder zusammen. Eine solche der Renais-

118

Z 103 Gießen, Neues Schloß, 1533–39 (Hanftmann, S. 132).

sance verhaftete, konstruktive Fassade hat Meister Jacob Storz
an der an einer Straßengabel 1590 neu gebauten Fürstenherberge
„Zum Riesen" in Miltenberg gestaltet; sie findet sich aber auch   T 73
schon seit der Mitte des 16. Jh., wie z. B. am Hause Freihofgasse 3   Z 107
in Seligenstadt von 1567.

Geschweifte und oft mit „Nasen" besetzte Andreaskreuze finden wir als bevorzugte Schmuckform bei Häusern aus der Mitte
des 16. Jh. (Mainz, Windecken, Miltenberg). Das 1535 errichtete
Altstädter Rathaus in Hanau besaß sie in großer Zahl, der echte
„Mann" fehlt aber noch. Nach und nach kamen dann weitere Verstrebungsfiguren, die aber an sich Variationen des Andreaskreuzes
sind, Verbindungen mit anderen Formen, so vor allem mit Rauten   T 73
aus geraden oder gebogenen Hölzern. Diese Verbindung findet   –76
sich an der ehemaligen Kommandantur Erbsengasse 1 in Hanau
1570, besonders häufig am Rhein, so 1579 an einem Haus in   Z 109
Osterspai. An sonstigen Zierformen finden wir einfache, mit einer
Nase besetzte Fußstreben und geschwungene Hölzer zwischen
Brust- und Sturzriegel.

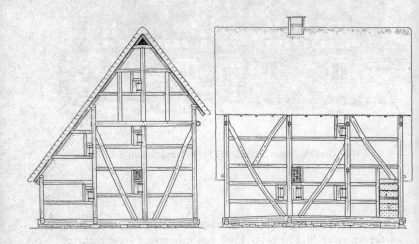

Z 104 Staßfeld/Kr. Euskirchen, Haus des Antoniterhofes, 1511, 1968 abgebrochen. Maßstab 1 : 200 (Eitzen, Rheinisches Fachwerk, Abb. 1).

Auf einem Schwellenkranz mit überblatteten Enden stehen vier Gebinde, die jeweils aus zwei Ständern und einem durchgezapften, verkeilten Binderbalken gebildet werden. In den beiden Giebeln ist jeweils ein Zwischenständer eingefügt. Durch die waagerechten Riegel entstehen weite, liegende Gefache. Belebende Elemente sind breite, 7 cm dicke Schwertungen, die in die Schwellen eingezapft, mit den Riegeln verblattet und oben stumpf an die Ständer auslaufen und mit einem eisernen Stichnagel angeschlagen sind. Die Sparren des Sparrendaches stehen mit kurzen Sparrenknechten auf dem Wandrahmen und sind mit angeblatteten Kehlbalken ausgesteift.

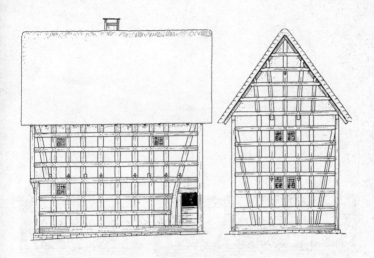

Z 105 Birnbach/Kr. Altenkirchen, Bauernhaus, 16. Jh. Maßstab 1 : 200
(Eitzen, Rheinisches Fachwerk, Abb. 5).

Im Süden des Bergischen Landes und im Westerwald finden sich folgende Eigenarten: alle senkrechten und waagerechten Hölzer erstrecken sich jeweils über die ganze Wand und sind an allen Schnittpunkten miteinander verblattet und durch fünf Holznägel gesichert. An den Enden sind die Ständer und die Längsschwertungen in die geschlossenen Rahmen eingezapft, die von Schwellen, Eckständern, Rahmholz und Dachbalken gebildet werden; zur Winkelsicherung sind in jeder Wand zwei Hölzer gegenläufig leicht geneigt angeordnet.

121

Z 106 Berkach, Rathaus, 1597. Maßstab 1 : 200 (Walbe, Abb. 477, 478).

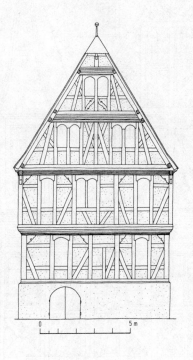

Z 107 Seligenstadt, Freihofgasse 3, 1567. Maßstab 1 : 200 (Mechmann T 71
nach Bauaufnahme des Giebels).

124

Z 109 Osterspai/Rhein, Nr. 108, Schnatzsches Haus, 1579. Maßstab 1:100
(Luthmer V, Fig. 133).

Z 108 Bacharach/Rhein, Altes Haus, 1568. Maßstab 1:100 (Mechmann T 90
nach Schäfer 1896).

Im 17. Jh. hat sich ein allgemein einheitliches Erscheinungsbild der Fachwerkhäuser herausgebildet. Das Fränkische hat auf die Nachbargebiete übergegriffen und ist bis an den Oberrhein gewandert.

T 74
T 83

T 83

Z 111

Bundständer mit ihren Streben, den „Männern", teilen die Wände in Gruppen; innerhalb der Gruppen gleichmäßige Reihung der Zwischenständer, im allgemeinen unabhängig von der Balkenlage. Die Zwischenständer sind zugleich Fenstergewände. Die Streben der Eck- und Bundständer sind nicht mehr so steil wie früher geneigt, sie greifen mit ihrem Fuß weit aus, oft bis ins nächste Gefach, so daß der Zwischenständer auf der Strebe oder auf dem Brustriegel aufsteht. Gern werden gekrümmte Hölzer für die Streben verwandt. Die Hölzer sind verhältnismäßig breit dimen-

Z 110 Frankfurt, Römerberg, „Salzhaus", Ende 16. Jh. (Lochner 1887, Fig. 102).

1595 erwähnt, dürfte es kurz vorher von dem aus Bingen zugewanderten Weinhändler Andreas Koler erbaut worden sein. Das nur dreistöckige, 10 m breite Gebäude hat die erstaunliche Höhe von 23 m. Seine Oberstockwerke kragen auf der Giebelseite und der rechten Traufseite aus. Auf einer steinernen, ebenerdigen Halle mit Renaissance-Zierat ruht der zur Straße vorkragende erste Oberstock, dessen verputzter Fachwerkkonstruktion reichgeschnitzte Holztafeln vorgehängt sind. Figürliche Jahreszeitdarstellungen zwischen Rollwerk oder Blattranken mit gerollten und gefächerten Enden, die aus menschlichen Halbfiguren aufsteigen. Die Umrahmung mit Schuppenverzierung. Die Ornamentik entspricht stilistisch, vielleicht etwas plastischer, dem Ornament der weiteren Obergeschosse. Das Fachwerk des zweiten und dritten Obergeschosses ist nicht ausgestakt, sondern zwischen die Konstruktionshölzer sind Holzplatten eingelassen, und zwar so, daß ihre Oberfläche mit der der Gerüsthölzer in einer Ebene liegt. Die gesamte Oberfläche ist mit dem reichsten Schnitzwerk überzogen, vornehmlich Rollwerk. Die Verwendung von geschnitzten Platten ist nicht nur im sächsischen Bereich häufiger anzutreffen, sondern auch am Gasthaus „Zur Trommel" in der Köttengasse zu Mainz von 1605, am Killingerhaus in Straßburg von 1615. Es sind seltene, besonders reich in Holz erbaute Häuser. Als Vorstufe und großartiges Beispiel für Renaissancegestaltung im Fachwerkbau ist das Kammerzellsche Haus in Straßburg von 1589 zu nennen.

126

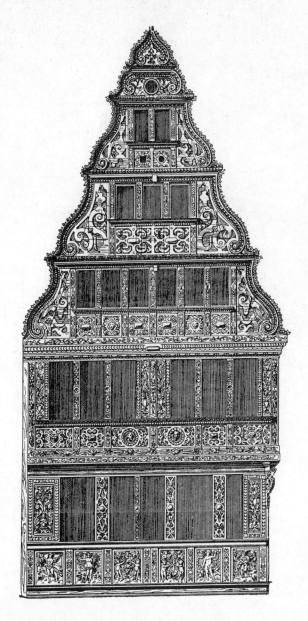

127

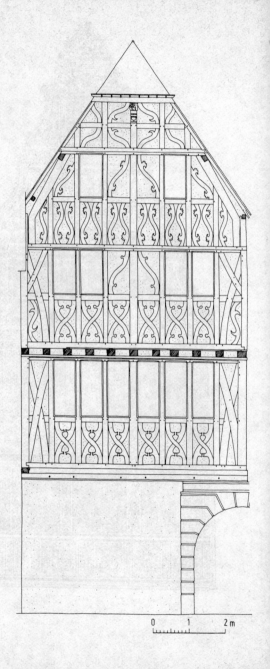

128

0   1   2 m

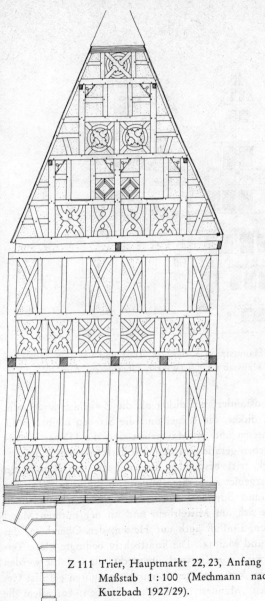

Z 111 Trier, Hauptmarkt 22, 23, Anfang 17. Jh. und 1602.
Maßstab 1 : 100 (Mechmann nach Bauaufnahme
Kutzbach 1927/29).

129

Z 112 Bad Orb, Hauptstraße 30 und 28, 1607 und um 1600 (1960 restauriert). Maßstab 1 : 200 (Winter, Oberhessen, Abb. 40).

sioniert, die Bundständer sind dicker als die Zwischenständer, die Eckständer noch dicker, die Riegel und die Streben bleiben recht schmal. In Südhessen und im Maingebiet sind die Hölzer schwächer und die Streben gerade und steil. Die Balkenköpfe sind sichtbar. Schnitzwerk tritt bescheiden auf, nur an den Rathäusern reicher. Im Grenzgebiet zu Sachsen finden sich Einflüsse sächsischer Konstruktions- und Schmuckformen. Nach und nach gewinnen Eigenheiten, die sich am Mittelrhein und an der unteren Mosel ausgebildet haben, Einfluß auch auf Hessen, den Oberrhein, das Lahn-, Kinzig- und Maintal. Die konstruktiv bedingte klare Teilung der Wand wird von Zierwerk überdeckt; die Gefache werden mit schmückenden, komplizierten Verstrebungsfiguren gefüllt; Gegenstreben an den „Männern", zusätzliche Streben; vor allem die

Z 118

130

Z 113 Ediger/Mosel, Wand mit Fenstererker (Lachner 1887, Fig. 93).

obere Gegenstrebe, die etwa von der Mitte der langen Fußstrebe   Z 123
nach innen in das Rahmholz oder in einen oberen Riegel einläuft;
auch die Verdeckung der Balkenköpfe durch ein vorgelegtes profiliertes Holz und schließlich der zumeist reich mit Schnitzwerk
verzierte Erker, der sich an Rhein und Mosel schon in der zweiten
Hälfte des 16. Jh. ausgebildet hat.

Bei dem sogenannten „fränkischen Fenstererker" ist die Fenster-   Z 113
fläche um 5–20 cm mit einem in der Regel reich geschnitzten Rah-   –115
men vor die Wand vorgezogen und von Konsolen gestützt, seine
Teile sind mit Ständern und Riegeln aus demselben Holzstamm   T 92
gearbeitet (Alzey 1561, Rathäuser von Birkenau 1553, Groß-   93
Gerau 1578, Büttelborn 1581, Auerbach a. d. Bergstraße 1586,
Berkach 1597 und Seeheim 1599, Ediger a. d. Mosel 1623, Haus   Z 106

131

ZAHNSCHNITT

Z 114 Mainz, Korbgasse 3, 1621, Erker auf der Hofseite (Stephan, Mainz, Abb. 83).

Haag in Münstereifel 1644/64.

In bescheidenerem Maße kommt geschnitztes Zierat besonders an Eckständern vor, wie am Haus „Silberberg" in Frankfurt, und wie es an Mittelrhein, Mosel und an der Bergstraße weitverbreitet ist, und an den zu Konsolen verkleinerten Knaggen, oder am reich geschwungenen Ortgang, z. B. an dem 1603/05 erbauten Z 119 Nordflügel des Saalhofes in Frankfurt mit einem reich dekorierten Zwerchhaus: über profilierten Holzkonsolen liegt die Schwelle, die oben mit einer Profilleiste abschließt. Fünf gleich große Fenster, die, nur von Stielen getrennt, bis an den Rahmen reichen. Echte „Männer" verstreben die beiden Eckständer, in den Brüstungsfeldern sind verschiedene Schmuckformen zu finden, im mittelsten ein Andreaskreuz mit einem von einer Rosette ausgefüllten Kreis, in den beiden anschließenden Feldern aus je vier Bändern zusammengesetzte negative Rauten, in den äußeren Gefachen geschweifte Andreaskreuze. Die Verbindung von Andreaskreuz und Rosette ist ein besonderes moselländisches Motiv. Der Giebel zeigt an den

Z 115 Frankfurt, Rotekreuzgasse 1 und Camberg, Fenstererker, Anfang 17. Jh. (Lachner 1887, Fig. 99, Luthmer III, Fig. 109).

132

Z 116 Usingen, Haus neben dem Rathaus, Eckständer. Geisenheim, Wandgefach. Wehrheim, Eckständer (Luthmer I, Fig. 70; II, Fig. 149, und 154).

außen geschweiften Ortgangbrettern reiches Zierat, das oben Ecken bildet und dann als Teil des Gesimses waagerecht durchläuft; unten rollt sich das Randprofil zu einer einfachen Spirale ein, führt dann aber von dieser in einem kurzen, geraden Stück bis auf das reich profilierte Schalbrett, das zum Giebel überleitet. Das Giebelfeld ebenfalls reich gegliedert und verziert. Dieses Zwerchhaus ist typisch für die Bereicherung des fränkischen Fachwerks durch geschnitztes Ornament seit Beginn des 17. Jh. unter dem Einfluß von Mosel und Mittelrhein. Zugleich setzt sich das mittelrheinische Fachwerk durch seine Leichtigkeit im Aufbau, in den Holzdimensionen, gegen das mehr oberhessische Gebiet ab. Mittelrhein mit Rheingau, Mainz und Alzey, Nahe und untere Mosel, auch untere Lahn, Taunus und unterer Main bis Miltenberg, Kinzig bis Bad Orb bilden in der Schmuckfreude und der Verwendung des reich verzierten Erkers ein zusammenhängendes

Z 117 Kobern/Mosel, Kirchstr. 18, 1575. Maßstab 1 : 100 (Mechmann nach Bauaufnahme 1902).

Gebiet. Im anschließenden ostfränkischen Gebiet (Würzburg und Bamberg) finden sich ähnliche Schmuckformen, auch in Schwaben, aber nicht in der mittelrheinischen Gruppenbildung, sondern die eigentliche Struktur des Fachwerks wird spinnennetzartig von Andreaskreuzen und dergleichen überzogen.

Die Schnitzerei dient seit der zweiten Hälfte des 16. Jh. zur Steigerung der künstlerischen Gestaltung. An den Eckständern dicke Rundstäbe, mit Kerbschnitt oder Spiralen versehen, auch schlanke Figuren, Schlangen und Blumenranken, diese oft aus Blumentöpfen herauswachsend, aber auch Zeichen, die einen symbolischen Sinn gehabt haben können. Dann finden wir Schnitzereien an den Schwellen und Füllhölzern, an den Umrahmungen

Z 118 Grenzau/Westerwald, Haus 13, Gasthaus zur Burg, 1631. Maßstab 1 : 100 (Luthmer V, Fig. 21).

136

Z 119 Frankfurt/M., Saalhof, Zwerchhaus, 1603/05 (Sage, Frankfurt/M.,
Abb. 67).

137

der Fenstererker, an den Brustriegeln, wenn sie vorgekragt sind. Am Ende des 16. Jh. nimmt die Renaissance mit ihren antiken Formen Einfluß auf die Schnitzereien: Ecksäulen auf Sockeln, attische Basen und toskanische Kapitelle, Hermen, Eierstäbe, Zahnschnitte, Beschlagwerk und im Barock mit Knorpel- und Muschelwerk. Bezeichnend ist bis auf die wenigen der hohen Kunst angehörenden Stadthäuser eine naive Abwechslungslust. In der Mitte des 18. Jh. läßt der Zierat sehr schnell nach.

T 87
Z 115

Z 120   Sondernau/Rhön, 1690 (Hanftmann 1907, Abb. 78).

Z 121 Bruttig/Mosel, Schunksches Haus, 1659, Treppenhaus (Lachner 1887, Fig. 111).

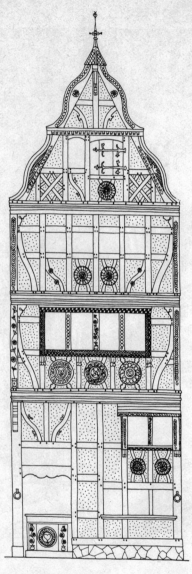

Z 122 Linz, Hundelsgasse 12, Zunfthaus der Weber. Maßstab 1 : 100
(Mechmann nach Schäfer 1889).

140

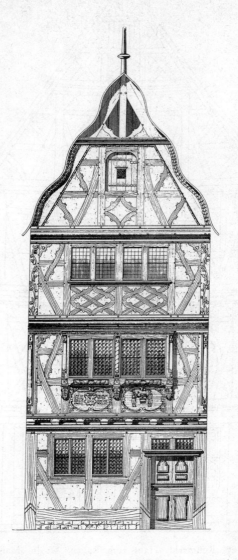

Z 123 Rhens, Rathausplatz 1, 1671. Maßstab 1 : 100 (Schäfer 1889).

Z 124 Alzey, Roßmarkt, Haus zum Raben, 17. Jh. Maßstab 1:100
(Mechmann nach E. Stephan).

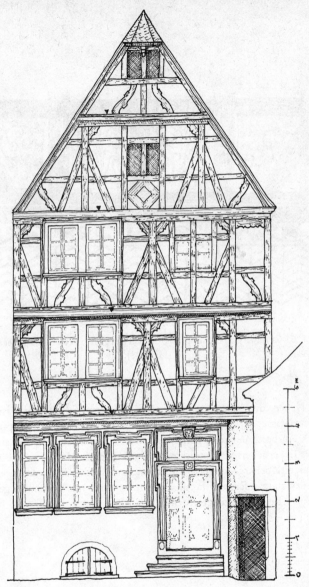

Z 125 Mainz, Löhrstraße 14, 18. Jh. Maßstab 1 : 100 (Stephan, Mainz,
Abb. 82).

Z 126 Cramberg/Biedenkopf, Stippverzierung, 1789 (Luthmer III,
Fig. 208).

Neben den Verstrebungsfiguren und dem Schnitzwerk ist die
Z 126 Verzierung auf den Putzflächen durch die Kratz- oder Stipptech-
−128 nik ein bestimmendes, heute nur noch selten erhaltenes, zumeist im
T 42 19. Jh. erneuertes Schmuckmotiv: geometrische Figuren, wie netzartige Überkreuzungen, Rautenmuster, Fischgrätenmuster, breit-
Z 113 verzweigte oder breitlappige Pflanzen oder mit zusammengebun-
denen Reisern erzeugte Stempel in Blütenform.

Z 127, 128 Günterod und Friedensdorf/Biedenkopf, Stippverzierung,
18. Jh. (Luthmer IV, Fig. 184, 185).

144

STIPP·VERZIERUNGEN
AUF KALKPUTZ AN
EINER SCHEUNE IN
GÜNTEROD· 18·IHDT·

145

Z 129   Rhens, Langgasse 39, 1629 (Schäfer, Holzbau, Tafel 21 a).

146

D. DER NIEDERSÄCHSISCHE FACHWERKBAU

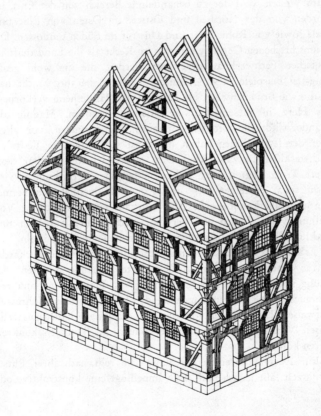

Z 130 Isometrische Darstellung des niedersächsischen Gefügesystems
(Reuther, Hannoversch Münden, Abb. 4).

Mit Niedersachsen ist hier jenes Gebiet angesprochen, das seit dem 6. Jh. vom deutschen Volksstamm der Niedersachsen besiedelt wurde und dann im späteren Mittelalter ungefähr dem Territorium des Herzogtums Sachsen entspricht. Insofern ist es in diesem Kontext möglich, sowohl vom niedersächsischen als auch vom sächsischen Fachwerk zu sprechen. Da die Bezeichnung niedersächsisch aber in der bisherigen Forschung allgemein üblich ist, soll sie auch hier verwendet werden.

Im Westen wird der zu behandelnde Bereich von der Ems, im Norden von der Nordsee und Ostsee, im Osten von Elbe und Saale sowie von Ruhr, Eder und Unstrut im Süden umflossen. Die so umschriebenen Gegenden dürfen zu Recht als die Landschaft im deutschen Fachwerkbau bezeichnet werden, die die wohl großartigsten Beispiele dieser Architekturgattung hervorgebracht hat. Städte wie Braunschweig, Halberstadt und Hildesheim verkörpern das Herz in diesem baukünstlerischen Schaffen. Mannigfache Brände, städtische Umbaumaßnahmen, Zerstörungen, vor allem aber der letzte Krieg haben den einst so vielfältigen Besitz an Fachwerkhäusern zahlreicher Orte dieses Gebietes spürbar dezimiert. Trotz eingreifender und oft endgültiger Vernichtungen vielleicht sogar einzelner Stil- und Konstruktionsspielarten vermag der noch überkommene Bestand durchaus eine verbindliche Vorstellung vom Werden und der die Epochen durchlaufenden Entwicklung des niedersächsischen Fachwerkbaues zu vermitteln.

Es sind aus den verschiedenen Abschnitten dieser Fachwerkarchitektur hinreichend inschriftlich datierte Gebäude erhalten, daß häufig auch eine zeitliche Einordnung von Häusern mit analogen Schmuckformen vorgenommen werden kann, die keine Jahreszahl aufweisen. Dendrochronologische Untersuchungen haben zusätzlich unser Wissen vom Alter mancher Bauten willkommen konkretisieren können.

Ein Aneinanderreihen der Bauwerke rein nach ihrer Entstehungszeit läßt jedoch noch nicht unbedingt eine konstruktive oder

Z 131 Bad Salzuflen, Lange Straße 33, 1612 (Hansen, Oberweser, Fig. 10). Maßstab 1 : 100.

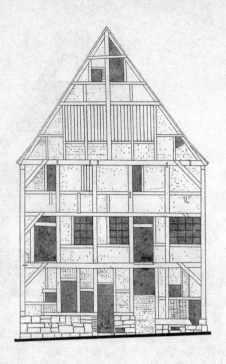

dekorative und somit typologische Entwicklung erkennen. Ebenso-
wenig ist allein auf Grund der Schmuckformen eine zwingende
Datierung zu gewinnen. Der wesenmäßig handwerkliche Charakter macht den Fachwerkbau insbesondere anfällig für Form- und
Konstruktionsgefälle, nachhaltig wirkende Beeinflussung und Pha-
senverschiebung. Weniger die zeitliche Abfolge als vielmehr der
Entwicklungsgang in der Konstruktion, vorrangig aber der Zier-
elemente sollen den Ablauf der Darstellung bestimmen. Nur einige
Häuser werden im Text als ausgewählte Beispiele eigens erwähnt,
dekorative Details dagegen vielfach schwerpunktartig ausführ-
licher behandelt.

Die Genesis der niedersächsischen Gefügeentwicklung läßt sich
an Hand archäologischer Beobachtungen und mit Hilfe von Er-

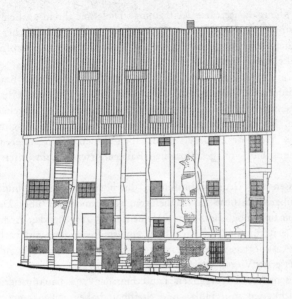

Z 132 Hannoversch Münden, Sydekumstraße 8, „Zum Ochsenkopf",
1528. Rückwärtige und traufseitige Ansicht (Delorme, Ochsenkopf,
Abb. 102, 104). Maßstab 1 : 200.

kenntnissen der Erforschung des niederdeutschen Bauernhauses sowie des (Acker-)Bürgerhauses in deutlich erkennbaren Zügen verfolgen. In seinen Anfängen war das niederdeutsche Bauernhaus
ein Wohn-Stall-Haus, das sich mit seinen Räumlichkeiten um die
von zwei Ständerreihen gesäumte Diele scharte. Vom Oberweserraum ausgehend wandelte sich dieses Hallenhaus dann als Vierständerhaus zum Wohn-Stall-Speicherhaus: aus dem niedrigen
Walmdachhaus wurde allmählich das für uns relevante Steilgiebel-
haus, an dessen Straßenseite sich eine immer reichere architektonische wie dekorative Ausgestaltung entfaltete.

Eine verwandte räumliche Ordnung, die sich namentlich in der
Mittelpunktstellung der großen, hallenartigen Diele offenbart,
bestimmt die Gestalt von Bauern- wie von Bürgerhäusern. Beim

151

Bauernhaus diente diese weiträumige Diele mit ihrem großen Einfahrtstor hauptsächlich der Verrichtung landwirtschaftlicher Arbeit; der Ackerbürger nutzte sie als Werkstatt und der Kaufmann wickelte hier seine Geschäfte ab.

Voraussetzung für diese vielschichtige Verflechtung von Bauern- und Bürgertum sowie damit der von beiden Gruppen erbauten und genutzten Hausarchitektur war die sich seit dem ausgehenden 12. Jh. bis in die Mitte des 16. Jh. vollziehende Bildung neuer Städte. Viele Ackerbürgerstädte haben sich in ihrem äußeren Erscheinungsbild von geschlossenen Bauerndörfern kaum unterschieden.

Lassen sich Grundrißbildungen durch entsprechende Funde bis in frühgeschichtliche Zeiten belegen, so können wir über Detailformen und mögliche Schmuckelemente der aufgehenden Architekturen erst für die Zeit nach 1400 eine umfassendere und verbindliche Auskunft gewinnen, da der gesicherte Denkmälerbestand nur bis ins erste Viertel des 15. Jh. zurückreicht.

Wesentliche Divergenzen bautechnischer wie baukünstlerischer Möglichkeiten von Holz- und Steinbau haben neben einer ganz eigentümlichen Ausbildung der Zierformen gerade des niedersächsischen Fachwerks auch im Hinblick auf die Eingrenzung der einzelnen Stilphasen zu gewissen Verlagerungen geführt. So reicht die Gotik vom frühen 15. Jh. bis an das Ende des ersten Viertels des folgenden Jahrhunderts. In den sich anschließenden drei Dezennien vollzieht sich der Übergang zur Renaissance, die dann in der Mitte des 17. Jh. vom Barock abgelöst wird. Gegen Ende des 18. Jh. unterbleiben dekorative Ausschmückungen, die als solche Grundlage für eine stilistische Einordnung bieten könnten. Örtliche Eigenarten und handwerkliche Traditionen führen nicht selten zu Verzerrungen dieser allgemeinen und systematisierend gemeinten chronologischen Einteilung.

Da sich von den auslotbaren Anfängen bis in die Spätzeit im Konstruktiven an den niedersächsischen Fachwerkhäusern kaum etwas grundlegend geändert hat, hingegen die Schmuckformen einem vielgestaltigen Wandel unterworfen waren und zudem für unser Gebiet spezifische Bedeutung haben, bietet es sich an, die Konstruktionsmerkmale und den Werdegang des Schmuckappa-

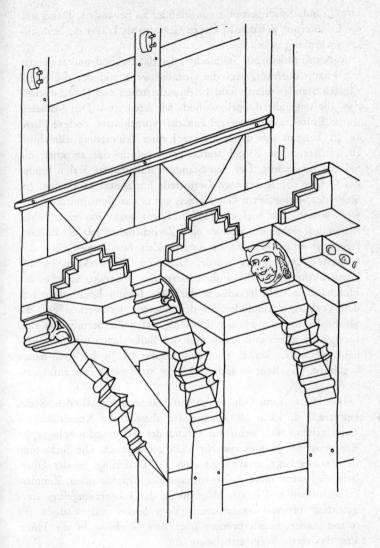

Z 133 Braunschweig, Detail eines Fachwerkhauses, 1460/80 (Mechmann nach Uhde, Fig. 188).

rates grundsätzlich getrennt voneinander zu behandeln. Dabei soll die Erläuterung des konstruktiven Gerüstes als Träger des Schmukkes am Anfang stehen.

Z 130   Auf einem niedrigen Steinsockel, der das Fußbodenniveau meist nur knapp überragt, liegt die Grundschwelle, auf der die eingezapften Ständer relativ nahe beieinanderstehen und Gefache scheiden, die ungefähr doppelt so hoch wie breit sind. Den Ständern waren Brust- und Sturzriegel zunächst vorgeblattet, doch seit dem 16. Jh. beginnt sich dieses Merkmal einer Schwertung allmählich zu verlieren. Die Riegel werden nun gefachweise zwischen die Ständer eingezapft. Der den Ständern aufgezapfte Rähm bindet das Gefüge der senkrechten Gerüstteile horizontal zusammen. An Stelle des verdoppelten Ganzholzes, wie es das alemannische Fachwerk kennt, tritt hier ein Halbholz, oft sogar nur eine Bohle. Anfänglich waren die Ständer ohne Zwischenglied mit der Balkenlage verbunden, die bis in jüngere Zeit fast immer über den Unterstock vorgekragt wurde. Diese im Fachwerkbau häufige Konstruktionsart stellt insbesondere das Charakteristische der Holzbaukunst Niedersachsens dar. Am Beginn beschränkte sich das Vorkragen zumindest in den oberen Stockwerken auf die Straßenfronten der Häuser. Hofseitig liefen die Ständer bis zum Dachgerüst durch und waren mit den Balkenlagen oft in Ankerbauweise verbunden. Erst im ausgehenden 15. Jh. hat man damit begonnen, die Bauten auch rückseitig stockwerkweise aufzuzimmern.

Z 132   Das Haus „Zum Ochsenkopf" in Hannoversch Münden, Sydekumstraße 8, kann als Zeugnis für diese frühe Konstruktionsweise gelten, auch wenn auf Grund der Jahrringchronologie die Erbauung des Hauses erst für 1528 gesichert ist. Die Bedeutung des Hauses liegt, unabhängig von der Datierung, in der Überlieferung sonst nicht mehr vorhandener altertümlicher Zimmermannsformen und in der Möglichkeit, das Innenraumgefüge eines gotischen Hauses auszumachen. Vom Sockel aus wachsen die Wandständer ununterbrochen über drei Geschosse in die Höhe. Erst das vierte kragt giebelseitig vor.

Z 135   Im 15. und 16. Jh. war der Überhang außerordentlich beliebt und nahm oft gewaltige Ausmaße an. Am Knochenhauer-Amts-

154

Z 134 Halberstadt, Ratskeller, 1461, Detail (Mechmann nach Uhde, Fig. 190).

Z 136

haus in Hildesheim von 1529 wird in fünf Stockwerken ein Überhang von 2,70 m erreicht. Es kam schließlich so weit, daß Höchstmaße für den Überhang baupolizeilich festgesetzt werden mußten. Halberstadt und Osterwieck besteuerten sogar das Vorkragen.

Technische Motivationen für das geschoßweise Auskragen – sie wurden eingangs dieses Buches geschildert – paaren sich mit ästhetischen Gesichtspunkten: der Überhang läßt das handwerkliche Gefüge noch klarer hervortreten und die Baukörper werden so in ihrer plastischen Wirkung auffällig gesteigert.

Zur Schubableitung des Überhanges sowie zur Versteifung von Ständern, Rähm und Balken dienen die Knaggen. Fußbänder und später zusätzliche Kopfbänder gewähren eine erhöhte Festigkeit

Z 135 Hildesheim, Knochenhauer-Amtshaus, 1529 (von Leixner, Fig. 79).

156

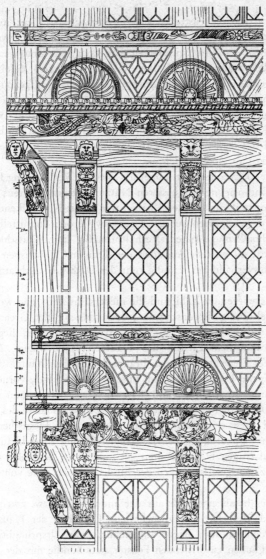

Z 136 Hildesheim, Knochenhauer-Amtshaus, 1529, Detail (KD Hildesheim, 1912, Taf. 14). Maßstab 1 : 40.

157

der senkrechten Gerüstteile. Zur Eckvorkragung dient meist in Verbindung mit einem sich auffächernden Bündel von Eckknaggen ein diagonal gestellter Stichbalken. Die stockweise Zimmerung bedingt, daß Ständer und Balken in der Vertikalen aufeinander Bezug nehmen. Es liegt die Schwelle des jeweils aufgezimmerten Stockwerkes bündig mit den Balkenköpfen.

Der offen bleibende Raum unterhalb des Überhanges zwischen den Balkenlagen wurde mit Füll- oder Windbrettern geschlossen, die etwa seit dem Beginn des 16. Jh. von gefachweise eingesetzten Füllhölzern abgelöst werden.

Da die Dachräume fast immer als Speicher Verwendung fanden, ist die Dachneigung der besseren Nutzung wegen meistens außerordentlich steil. In der Regel haben wir es mit Kehlbalkendächern zu tun, deren Sparren auf der Dachschwelle oder unmittelbar auf der Dachbalkenlage ruhen. Verhältnismäßig lange Aufschieblinge führen oft zu weitem Ausladen der Traufen. Windrispen stellen den Längsverband her. Häufig ruht der Dachstuhl auch auf Firstsäulen.

In überwiegender Zahl sind die niedersächsischen Fachwerkhäuser giebelständig. Braunschweig jedoch, das auf der Grenze vom niedersächsischen zum fränkischen Bauernhausgebiet liegt, hat unter fränkischem Einfluß das Traufenhaus bevorzugt. Niedersächsisches Element ist an den braunschweigischen Bauten dagegen das doppelte Untergeschoß. Im unteren Werragebiet, vornehmlich in Hannoversch Münden und Witzenhausen, später dann auch in Bad Sooden-Allendorf kam es seit der zweiten Hälfte des 16. Jh. zu einer Firstverschiebung. Durch die aus dem Hessischen übernommene Hinzufügung von Zwerchgiebeln und Zwerchhäusern an die traufseitigen Häuserfronten entstand so in den relativ engen Straßenzügen gewissermaßen der Eindruck einer Zeile von Giebelbauten.

Fenster besaß eigentlich nur der anderthalb- bzw. zweigeschossige und Wohnzwecken vorbehaltene Unterbau der Häuser, der verschiedentlich auch massiv aufgemauert war. Ursprünglich saßen die nach außen zu öffnenden Fenster stets bündig mit der Außenseite. Bei niedrigen Geschoß- oder Stockwerkhöhen ragen sie nicht selten bis an den Rähm. In der Gotik wurde der Sturz vielfach

T 110

158

Z 137 Entwicklung des Laubstabes zum Diamantband, Anfang 16. Jh.
bis Ende 17. Jh. (Mechmann nach Fricke, Fachwerkbauten, Taf. 5).

als Vorhangbogen, Eselsrücken oder gedrückter Spitzbogen gestaltet. Während der Spätstufe dieser Epoche werden die so geform-
ten Sturzriegeln reiche Begleitprofile aus Stäben und Kehlen ein-   T 125
geschnitzt. Im übrigen waren die Fenster durch rechteckige For-   T 126
mate gekennzeichnet. Mittlerweile sind bedauerlicherweise bis auf
vereinzelte Ausnahmen die originalen Fensteröffnungen vergrö-
ßert worden. Besonders durch die Überschneidung von Gerüst-
elementen wurde hierbei das eigentümliche Gesicht der Häuser
entstellt. Auch die Untergeschosse wurden in zahlreichen Fällen durch Ladeneinbauten und ähnliche Veränderungen, aber
auch durch nachträgliche Putzschichten ihres ursprünglichen Ge-
präges beraubt. In den oberen, Lagerräume bergenden Stockwer-   T 118
ken waren die Öffnungen mit feststehenden oder auch schiebbaren   T 123
Holzgittern verschlossen. Die Haustüren und Portale zeigen keine   –125
materialspezifische Formulierung; sie geben sich in ähnlichen Aus-   T 111
bildungen, wie sie die zeitgenössische Steinarchitektur jeweils
kannte.

Die in der Frühzeit der Gotik (1400–1525) anfänglich sparsam, dann vermehrt einsetzende Ausschmückung des klar gegliederten, konstruktiven Gerüstaufbaues beschränkt sich zunächst ausschließlich auf die Schwelle. Offenbar die älteste und mit System als Schwellenornament angewandte Schmuckform ist der gefachweise

Z 133

angelegte Treppenfries. „Mit dem Treppenfries begann der künstlerische Holzbau" (Uhde, Holzbau, S. 147). Die Bezeichnung die-

T 98
–103

ser Zierform erklärt sich aus ihrer charakteristischen Gestalt, die zuerst zweifach, später auch drei- und vierfach mit dem Stemmeisen und der Axt als auf- und absteigendes Stufenmuster aus der Schwelle plastisch herausgearbeitet wurde. Der Treppenfries visualisiert mit seinem formalen Ablauf die dem Gerüst innewohnenden statischen Verhältnisse, er verdeutlicht die Ableitung der auf der Schwelle lastenden Kräfte und deren Übertragung auf die von den Knaggen unterfangenen Balkenköpfe.

In Braunschweig läßt sich der Treppenfries ungefähr seit dem sechsten Jahrzehnt des 15. Jh. sicher nachweisen. Er scheint auch in dieser Stadt seinen Ausgang genommen zu haben, der zwei, vielleicht drei Jahrzehnte früher begonnen haben mag. R. Fricke hat im Hinblick auf mögliche Vorbilder innerhalb der Steinarchitektur auf ganz verwandte Detailformen an Braunschweiger Sakralbauten der Spätstaufik verwiesen, die dann ebenfalls an Kemenaten dieser Stadt wiederkehren. Tatsächlich konzentriert sich der Treppenfries auch im weiteren Verlauf seiner Entwicklung hauptsächlich auf das unmittelbar braunschweigische Gebiet.

Wie der Treppenfries, so wird auch der Duktus der zugehörigen Balkenköpfe und Knaggen von den Möglichkeiten des eingesetzten

Z 133

Werkzeuges bestimmt. Durch ihre scharfkantigen, waagerechten Profilierungen aus Stäben, Kehlen und Platten fangen Balkenköpfe und Knaggen auch optisch den auf sie abgeleiteten Schub auf, um ihn dann über ein Widerlager an die Ständer weiterzugeben.

Mit dem Treppenfries beginnt zugleich eine Rhythmisierung der einzelnen Gefachflächen. Das Gleichgewicht von horizontalen und vertikalen Gefügeelementen verlagert sich nun zaghaft in die Breite. Hiermit verknüpft ist ein Anwachsen der plastischen Wirkung, die vor allem im Zusammenspiel mit dem Überhang und

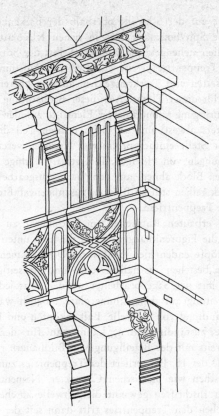

Z 138 Braunschweig, Reichsstraße 7, 1517/20, Detail (Mechmann nach Uhde, Fig. 200).

den Profilen von Balkenköpfen und Knaggen auf das lebhafte Wechselspiel von Licht und Schatten abzielt. Angestrebt wird eine möglichst weitgehende Auflösung der Schwelle. Neben einer Bereicherung des Treppenprofils durch mehrfache Absetzung tritt eine zusätzliche Ausschmückung des relativ beschränkten Feldes zwischen den einzelnen Treppenansätzen. Das Haus Alte Kno- T 98–99 chenhauerstraße 11 in Braunschweig aus dem Jahre 1470 zeigt

161

beispielsweise auf der Schwelle oberhalb der Balkenköpfe kleine, ausgestochene Spitzbogenarkaden, in denen Kleeblätter alternierend mit Lilien stehengelassen wurden. Selbst der Schwellengrund unter dem Treppenfries weist eine weitere Ausschmückung mit Köpfen, Rosetten und Tierkreiszeichen auf. Im oberen Stockwerk allerdings fehlt dieser Zierat. Aus dieser Beobachtung erhellt, wie sehr die Anbringung schmuckhafter Elemente auf den Blickwinkel des Betrachters abgestimmt ist. Beim rechten Teil dieses Hauses treten an die Stelle einfach profilierter Knaggen vereinzelt solche mit Darstellungen von Heiligen. Ihre relativ flächige Behandlung läßt noch den Block ahnen, aus dem sie herausgearbeitet wurden. Im Oberstock reihen sich zu Blöcken zusammengefaßte Inschriften zwischen die Treppenfriese.

Z 134   Am 1461 erbauten Ratskeller am Fischmarkt zu Halberstadt
T 97   überwiegen die Figurenknaggen; selbst die nach unten abgeschrägten Balkenköpfe enden hier in Masken. Die ornamental gestalteten Knaggen bestehen aus halben sechs- und achtseitig abgefasten Balken, die mit der Säge bearbeitet wurden, was jedoch nur bei einer Zubereitung auf dem Zimmerplatz möglich war. Während für die Behandlung von Schwelle, Balkenköpfen und Knaggen die Zimmerleute zuständig waren, kann man für den figürlichen Schmuck bereits mit der Beteiligung von Bildhauern rechnen.

Zum Ende des 15. Jh. verliert der Treppenfries zunehmend seinen tektonischen wie plastischen Charakter. Namentlich in Ver-
T 99   bindung mit Inschriften gewinnt die Schwelle zusehends an Flächigkeit. Neben den Treppenfries tritt dann seit der Wende zum 16. Jh. der formal aus ihm abgeleitete Trapezfries, der vor allem in Goslar anzutreffen ist, aber schon 1459 in Hildesheim am
T 96   Trinitatis-Hospital vorkommt. Auch der Trapezfries rhythmisiert die Schwelle gefachweise, der er als sich nach oben gleichmäßig verjüngende Zierform von Balkenkopf zu Balkenkopf eingetieft ist. Eine waagerechte Profilierung aus Wülsten und Kehlen füllt das auf seiner Breitseite ruhende Trapez. Anders als der Treppenfries besitzt der Trapezfries einen vermindert plastischen Wert, weil er das Holz vergleichsweise geringer aushöhlt. Dem Treppenfries allerdings eng verwandt erscheint dagegen die ähnlich ästhetisch entlastende Wirkung. Zugleich betont die zwischen den ein-

Z 139 Braunschweig, Burgplatz 2 a, „Huneborstelsches Haus", 1536, Detail
(Mechmann nach Uhde, Fig. 209).

zelnen Trapezen oberhalb der Balkenköpfe anstehende Fläche, wie
etwa beim 1526 erbauten Haus Markt 1 in Goslar, im Verein mit   T 110
den Ständern nun wieder mehr die Senkrechte. Verschiedentlich
zeigen diese Zwickel geometrische, ebenfalls recht flächig sich bie-
tende Schmuckformen.

Während die Balkenköpfe in dieser Zeit sich in ihrer Profil-
gestaltung gegenüber der früheren kaum verändert haben, zeigen
die Knaggen ein gewandeltes Gesicht. Ihre horizontalen Glieder
sind zu Gruppen zusammengefaßt, die zwischen sich glatte Par-
tien stehenlassen. Als formale und zugleich konstruktive Weiter-
führung der Knaggen werden die Widerlager an den Ständern
ganz ähnlich behandelt. Außerdem wird jetzt meistens auf eine
Kantenabfasung bei den Knaggen verzichtet. Die Windbretter
schließen die Überhänge weniger steil nach unten ab und sind dabei gleichzeitig in ihrer Tiefe verringert.

Einer Modifizierung des Trapezfrieses begegnen wir dann im
Bügelfries, der die Schwellenintervalle klammerartig verbindet. Je
höher der Bügel wird, um so mehr tritt der Trapezschnitt zurück.
T 106   Beim Haus Wollmarkt 1 in Braunschweig aus dem Jahre 1524
besteht der Bügelfries im wesentlichen nur noch aus Hohlprofilen,
die an der unteren Kante der Schwelle schiffskehlenartig geformt
sind. Ihr statisch gemeintes Gepräge beginnt diese Zierform zu
T 110   verlieren, sobald sie dann halbgefachweise die Schwelle abgreift.

Eine zeitliche Aufeinanderfolge von Treppen-, Trapez- und
Bügelfries kann nicht verallgemeinert werden, wie etwa das schon
T 97   erwähnte Trinitatis-Hospital in Hildesheim belegen mag. Nicht
selten sogar kommen zwei, bisweilen auch alle drei dieser Schwellenornamente gleichzeitig an einem Bau vor.

Bei den Balkenköpfen macht sich in dieser spätgotischen Phase
eine Hinwendung zum Schlichten bemerkbar. Die bisherigen Hori-
zontalprofilierungen werden zumeist bis auf einen Wulst redu-
Z 139   ziert, der an den Kanten zu „Backen" abgefast wird. Ebenfalls an
den Knaggen tritt eine Beruhigung im Formenangebot ein, die zu
einer stärkeren Flächigkeit tendiert und die gebündelten Profile
zu ebnen beginnt.

Das gotische Prinzip, die Wandfläche mit Hilfe des Schmuck-
apparates gefachweise aneinanderzureihen, verliert sich im Laufe
des beginnenden 16. Jh. immer mehr. Abgelöst werden die bislang
Z 137   üblichen Schwellenornamente vom sogenannten Laubstab. Dieser
besteht aus einer Astwelle, die sich durchgängig über die ganze
Länge der Schwelle hinwegzieht und um die sich zusätzlich ein
Rankenmotiv wickelt.

Z 140 Braunschweig, Lange Straße 6, 1536, Detail (Mechmann nach Uhde, Fig. 214).

T 115   Am Haus Ölschläger 40 in Braunschweig von 1530 erfährt die
Wellenbewegung des Laubstabes Zäsuren durch plastisch hervor-
tretende Inschriftenblöcke. Vergleichbares zeigt die untere Schwelle
T 107   der 1534 errichteten Alten Waage in Braunschweig. An diesem
rundum mit Schauseiten versehenen stattlichen Bauwerk offenbart
sich abermals die Rücksicht der Schmuckanlage auf das betrach-
tende Auge. So wird hier die Vielgestaltigkeit des Laubstabes an den
oberen Schwellen stetig verhaltener, bis schließlich in der Kopf-
zone eine weitgehende Stilisierung des Laubstabmotives erreicht
ist. Dieses Beispiel widerlegt zugleich die Ansicht, die formale Entwicklung des Laubstabes ginge bis zu seinem fast völligen Ver-
schwinden um die Mitte des 16. Jh. von der reich gegliederten
und subtil durchformulierten Ausführung allmählich über in eine
Z 137   vereinfachende Darstellungsweise, die als Astwelle bezeichnet
wird.

Zu der durchbindenden und die Gefache einenden Intention des
Laubstabes gesellt sich die netzartige Überziehung der Brüstungs-
flächen mit geschnitzten Maßwerkmotiven. Das früheste überlieferte Beispiel für das gemeinsame Vorkommen von Laubstab und
T 118   Maßwerk ist das Haus Auguststraße 33 in Braunschweig, das in
das Jahr 1517 zurückreicht. Obwohl dieses Haus straßenseitig
durch sein jüngeres, massiv gemauertes, doppeltes Untergeschoß
einen spürbaren Eingriff erfahren hat, macht es immer noch eine
überzeugende Aussage hinsichtlich des Anliegens nunmehr in der
Übergangszeit von der Gotik zur Renaissance (1525–1550) gültiger
Schmuckformen. Während die dem Unterbau aufliegende Laub-
stabschwelle im Verband mit der durchgängigen und als kräftiges
Tauband geschnitzten Brüstungsschwertung die zwanzig Gefache
lange Front in ihrer Breitenerstreckung auffällig steigert, erklingt
in den gefachweise angelegten Maßwerkformen ein deutlicher
Vertikalakzent. Bedeutsam ist nun, daß das Maßwerk jetzt den
Ständerfuß, die Winkelhölzer und die Schwellensegmente zusam-
menfassend überzieht und überdies der untere Kontur der Schwelle
von einem mittig hängenden „Schlußstein" unterbrochen wird.
Zudem hat das Volumen der schmuckfreien Gefachfüllung sichtlich
abgenommen. Schlanke Maßwerkblenden in den Ständern stim-
men verstärkend in den senkrechten Tenor mit ein.

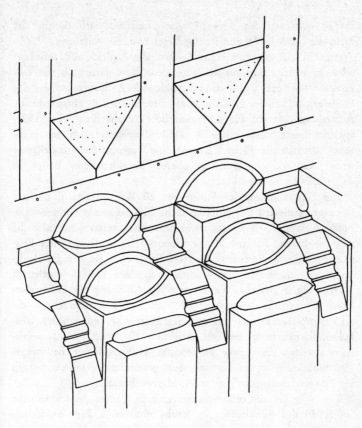

Z 141 Braunschweig, Jakobstraße 2, zweite Hälfte 16. Jh. (Mechmann nach Uhde, Fig. 216).

Die Schließung der Brüstungsgefache durch schmucktragende Glieder, die in Zukunft in steigendem Maße an Bedeutung gewinnen soll, hat ihre Wurzel in der vorausgegangenen Bereicherung der Gerüstwand durch Fußstreben, aus denen sich durch weitere Füllung des Gefachraumes die Winkelhölzer entwickelt hatten. Gerade am Haus Auguststraße 33 läßt sich dieser Prozeß besonders gut verfolgen: im ersten Oberstock sitzen die von Ständerfüßen und Winkelhölzern gebildeten Dreiecke optisch gewissermaßen noch auf der Schwelle. Am zweiten Oberstock aber ist dann die formale Verschmelzung dieser Bauteile vollzogen.

Z 138 Am 1517/20 erbauten Haus Reichsstraße 7, gleichfalls in Braun-
T 117 schweig, treffen wir auf analoge, wenn auch innerhalb der ein-
zelnen Stockwerke vertauschte Verhältnisse. Außerdem ist hier das Maßwerk mit einem Krabbenbesatz bereichert. Eine entsprechende
T 119 Aufteilung läßt das Haus Hagenbrücke 12 aus dem Jahre 1523, auch in dieser Stadt, erkennen. Doch abweichend von den Häu-sern Auguststraße 33 und Reichsstraße 7 gehen die architektoni-schen Maßwerkbildungen im oberen Bereich dieses Baues in vegetabilische Formen über.

Die Umwandlung der Fußstreben zu Winkelhölzern, die mit ihrer vergrößerten Grundfläche mehr Möglichkeiten für eine zie-rende Ausgestaltung boten, wenn nicht dazu reizten, hat also die sich zunehmend herausbildende schmuckhafte Schließung der Brü-stungsgefache wesentlich vorbereitet. So gesehen ist es sogar denk-bar, daß umgekehrt der Wunsch nach einer breiter angelegten
T 107 Auszierung in manchen Fällen auch die Ablösung der Fußstreben
–108 durch Winkelhölzer erst verursacht hat. Bereits der einfache Wech-sel reziprok verzahnter heller Füllungsdreiecke und dunkler Win-kelholzflächen bedeutete eine erhebliche Belebung der Fachwerk-hausfassaden. Ein erster Höhepunkt großangelegter Brüstungs-ausschmückung ist erreicht mit dem geschilderten, teilweise stark ins Pflanzenmotivliche gleitenden Maßwerkbesatz.

Der Weg bis zur ornamentalen und figürlichen Ausschmückung im Kleid der Renaissance ist kaum mehr weit. Eine aufschluß-
Z 135–136 reiche Zwischenstellung nimmt hierbei das 1529 in Hildesheim er-
T 112 baute Knochenhauer-Amtshaus ein. Viollet-le-Duc nannte dieses Bauwerk, über dessen doppeltem Untergeschoß fünf mächtige Stockwerke jeweils vorkragend aufgipfeln, das schönste Holzhaus der Welt. Nach einem Brand 1884 mußte der Giebel allerdings er-neuert werden; ebenfalls erst in diese Zeit gehen die Malereien auf den Windbrettern und das zarte Fächerornament auf den Winkel-hölzern zurück. Von der mächtigen, rundbogigen Einfahrt, die in ihrer Art an diejenigen früherer Bauernhäuser erinnert, führt ge-fachbreit nach rechts verschoben ein Gang durch die Längsachse des Baues. Zu seinen Seiten lagen über Kellern die Fleischscharren.

Z 142 Halle, Stadtwaage, 16. Jh., Detail (Schäfer, Atlas).

Der architektonische Aufbau dieses Hauses ist durchweg noch gotisch. Im Detail jedoch kündigt sich aber schon der Sprachschatz der Frührenaissance an, wie etwa in den Masken, die den Balken-köpfen aufgenagelt sind. Auch die figürliche Knaggenzier erscheint im Gewande des sich nun anbahnenden neuen Stiles. Besonders auffällig verrät sich der gewandelte Schmuckcharakter in der Durchbildung der Schwellen. Diese tragen eine durchgehende Ab-folge ineinander verwobener Fabelwesen, Früchte und Pflanzen sowie vereinzelter Putti. T 113

Schöpfer dieser üppigen Schwellenzier soll Simon Stappen ge-wesen sein. Mit diesem Bildschnitzer löst sich, wie es leider nur selten geschieht, eine bekannte und überlieferte Persönlichkeit aus dem Dunkel der Anonymität, die ansonsten die Vielzahl der beim Fachwerkbau tätigen Handwerker, aber auch die wenigen hierbei eingesetzten Künstler umhüllt. Stappen ist bezeugt als Schnitzer eines Kopfes der Geliebten Herzog Heinrichs d. J. von Braunschweig-Wolfenbüttel, Eva Trott, für deren 1532 veranstaltetes Scheinbegräbnis und fünf Jahre später eines Wagens für den Herzog. Diese beiden vom Herzog erteilten Aufträge vermitteln ein Bild von den Fertigkeiten des Künstlers, der zwischen 1517 und 1536 verschiedene Häuser, vor allem in Braunschweig, aber auch andernorts mit seinen Schnitzereien ausgestattet hat.

T 122 Drei Jahre vor der Errichtung des Knochenhauer-Amtshauses in Hildesheim ist Stappen bereits in Goslar 1526 am Brusttuch hervorgetreten. Auch an diesem Haus sind Aufbau und Konstruktion des auf einem reich gegliederten, zweigeschossigen Steinunterbau gezimmerten Speicherstockwerks ihrem Wesen nach noch gotisch. Auf der Schauseite entfaltet sich dann aber auf Schwelle, Winkelhölzern, Ständern und Knaggen und den nunmehr gefachweise eingezapften Brustriegeln durchgängig ein vielgestaltiges Programm figürlicher Szenen, pflanzlicher wie ornamentaler Motive. Formal lassen sich die Gehänge, die die Winkelhölzer rahmend umziehen, von jenen Maßwerkbildungen ableiten, die ein Jahrzehnt früher die entsprechenden Gerüstteile schmückten. Einbeschriebene Drolerien fassen mit ihrer geschlossenen Darstellung Winkelhölzer, Ständerfuß und Schwelle zusammen; letztere wird jetzt zudem als eigenständiges Konstruktionsglied geleugnet. Planetengestalten vermitteln zwischen der Brüstungszone und den Knaggen, die Sprichwortweisheiten vorführen. Die ideenreiche Motivfülle ist dabei keineswegs die Erfindung des Schnitzers, sondern geht nachweislich auf Stichvorlagen zurück. Namentlich die Planetengötter lassen an entsprechende Holzschnittvorbilder von Hans Burgkmair denken, die damals durch Kopien auf Kalendern allgemeine Verbreitung gefunden hatten und ihrerseits wohl auf literarische Quellen zurückgingen.

Z 139
T 123-124 Über ein nahezu identisches Allegorieprogramm offenbar desselben Schnitzers verfügt in Braunschweig am Burgplatz 2a das sogenannnte Huneborstelsche Haus von 1536. Hier läßt das zweite Speichergeschoß als gliedernde Struktur wieder ein Maßwerkornament durchscheinen, dem sich zahlreiche groteske wie figürliche Darstellungen einordnen.

170

Z 143 Hannoversch Münden, Kirchplatz 4, Pastorenhaus von St. Blasii, kurz nach 1570 (Reuther, Hannoversch Münden, Abb. 5).

Meisterlich verwandte Züge bestimmen ebenso die Straßenfront
T 121 des 1532 errichteten Hoppener Hauses in Celle, Poststraße 8.
Während auch hier im ersten Stock die Darstellungen auf das
Figürliche beschränkt bleiben, mischt sich ihnen im folgenden
Stockwerk ein Maßwerk ein, wie es ähnlich beim Braunschweiger
Haus Reichsstraße 7 vorgegeben war.

Wie sehr die Straßenfront als Repräsentationsfassade beabsich-
tigt war, tritt am Hoppener Haus noch einmal augenfällig zutage.
An den Seiten nämlich verzichtet man bei den Winkelhölzern auf
T 120 jegliche Zier und begnügt sich für die Schwelle mit dem mittlerweile altmodischen Laubstab. Ob der Schmuck der Fassade tatsächlich auf Stappen zurückgeht, erscheint im Hinblick auf den mehr
graphischen Charakter zumindest zweifelhaft, doch ist eine spür-
bare Beeinflussung durch diesen Schnitzer offenkundig. Ebenso
wird man die reiche Schnitzerei am Portal des Hauses Markt-
T 111 straße 1 von 1526 in Goslar dem Kreis um Stappen zurechnen
dürfen.

Mit dem Eintreten des Holzschnitzers in den Bund der mit der
Errichtung der Fachwerkbauten betrauten Zimmerleute wird die
Tradition des weitgehend konstruktiv intendierten Zierates end-
gültig verlassen. Vielfach waren es auch die künstlerisch Befähig-
ten und Gebildeten unter den Zimmerleuten, die nun außerdem
als Schnitzer hervortraten, sich bald auf diese Tätigkeit spezia-
lisierten und als Reisende an verschiedenen Orten anfallende
Arbeiten ausführten. Für die Bedeutung und soziale Stellung
dieses Berufsstandes zeugt heute noch der in Westfalen und
in Lippe weit verbreitete Familienname „Schnittger". Aber nicht
nur beim Hausbau, auch beim Möbel- und Inventarbau bewies
der Schnitzer sein Können, was wesentlich mit erklärt, wieso
es zu den vielfältigen wechselseitigen Beziehungen von Fachwerk und Möbelbau kam. In beiden Fällen lassen sich häufig die
Grenzen zwischen Hoher Kunst und Volkskunst nur schwer
ziehen.

Dominierendes Signum an den Fachwerkbauten der Renaissance
Z 142 (1550–1650) ist die Fächerrosette, die zudem als die für das nie-
dersächsische Fachwerk wohl typischste Schmuckform gelten kann.
Sie hat meist die Gestalt eines Halbkreises, bisweilen auch Drei-

172

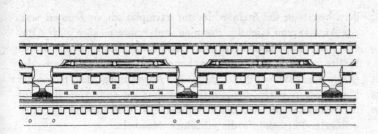

Z 144 Schieder/Kr. Detmold, Kornhaus, 1590 (Hansen, Oberweser, Fig. 12).

viertelkreises, in den die Blüte mit ihren einzelnen Blattlappen um ein Zentrum ausgebreitet ist. Vollkreise bleiben die Ausnahme. Die Anlage der Fächerrosette beschränkt sich fast ausschließlich auf die Brüstungszone.

Das Vorkommen dieser Schmuckform konzentrierte sich ursprünglich auf Westfalen-Lippe und das eigentliche niedersächsische Kernland, von wo es bis in die Gebiete östlich der Elbe vordrang, aber auch bis nach Schleswig-Holstein ausstrahlte. In den übrigen Fachwerklandschaften ist die Fächerrosette nahezu unbekannt.

Eines der frühesten Beispiele von Bauten, die dieses Zierelement aufweisen, ist das Dannenbaumsche Haus, Lange Straße 9, in T 125
Braunschweig aus dem Jahre 1536. Bei ihm sind die Brüstungsgefache mit eingezapften Bohlen geschlossen. Eine Gegenüberstellung zum gleichaltrigen und schon behandelten Huneborstelschen Haus auch in dieser Stadt macht deutlich, wie gering der Schritt von der maßwerkornamental oder figürlich gestalteten Ständerfußzone bis zu einer solchen mit dem Fächermotiv ist. Die stilistische Nähe beider Bauten verrät sich ohnehin in den Kopfdarstellungen der Fächerkerne am Dannenbaumschen Haus. In den unteren Stockwerken dieses Baues kommt die Fächerrosette sogar Z 140
auf den Füllhölzern vor, nun allerdings auf muschelartig gekehl- Z 141
tem Grund. Eine solche spezifische Detailbildung ermöglicht zu- T 188
gleich einen entscheidenden Hinweis auf die Herkunft der Fächerrosette, die nicht von der Holzbaukunst initiiert worden ist, son-

173

dern bereits in der Steinarchitektur exemplarisch vorgegeben war. Als Aufsatz von Giebeln, Portalen und Fenstern, aber auch Altären und Grabdenkmälern war das Muschelmotiv in der ersten Hälfte des 16. Jahrhunderts kennzeichnende Signifikante der (Früh-)Renaissance. Eine derartige Ausnischung des Füllholzes bleibt jedoch selten. Gelegentlich kommt sie auch zusätzlich auf der Schwelle vor. Am Haus Südstraße 4 in Braunschweig füllen geflügelte Puttenköpfe die einzelnen Muscheln.

Z 141
T 188
T 189

Eine Interpretation der Fächerrosette als Sonnenzeichen oder auch Sonnenrad entbehrt des sicheren Beleges. Sehr häufig tritt sie in Verbindung mit kräftigen Taubändern und Schiffskehlen als Schwellen- und Füllholzzierden auf. In diesem Zusammenhang wurde verschiedentlich für die formale Ableitung der Rosette auf den Palmettenfries der romanischen Kunst hingewiesen, wie er gerade für Sachsen als Kapitellschmuck kennzeichnend ist und wo ähnliche Begleitformen typisch sind.

Anfänglich blieb die Fächerrosette auf den Winkelholzbereich und die Ständerfüße beschränkt. An den Fachwerkbauten des sächsischen Kerngebietes um Braunschweig und Goslar bis Rinteln und sogar Höxter hin, wo die Winkelhölzer gradlinige Schrägseiten haben, kontrastiert die Halbkreisform des Fächers mit der Trapezfläche des Untergrundes. Dagegen werden die Rosetten im Westfälischen harmonisch von den Viertelkreisfußstreben umschlossen. Im Lippischen entwickelte sich für das Fächermotiv eine besondere landschaftsgebundene Form. In reicherer rhythmischer Wiederholung überzieht die Rosette hier die Brüstungsplatten, die zwischen den Ständern verzimmert sind. An Stelle der klar überschaubaren spätgotischen Gerüstgliederung in den Giebeln macht sich an den Renaissancebauten dieses Landstriches nun eine Vorliebe bemerkbar, die die nur von knappen Überhängen gestaffelten Giebel gleichmäßig wie mit einem gestickten Textilornament überzieht. Dabei wird häufig der Kontur von Balkenkonstruktion und eingearbeitetem Ornamentschmuck verwischt. Beim Haus Lange Straße 33 in Bad Salzuflen aus dem Jahre 1612 beispielsweise erfolgte die Anordnung der Fächerreihung ohne Rücksicht auf die Ständerstellung und die Gefachbreite. W. Hansen hat auf die sozialgeschichtlich interessante Beobachtung aufmerksam gemacht,

T 126, 129
T 131–133
T 134–142

Z 131

174

Z 145 Bremen, Brückenstraße 12, 1645 (Stein, Bremen, Abb. 12). Maßstab 1 : 100.

T 135 daß zunächst vornehmlich Adelshöfe ihre Fronten mit dem Fächerornament schmückten. Die ehemalige Dechanei in Höxter, Marktstraße 21, von 1561 gehört etwa zu dieser Gruppe. Erwähnung verdient dieses Haus dazu auch seiner beiden Utluchten wegen. Die linke an dem größer bemessenen Teil des Hauses erscheint als flacher, doppelstöckiger Vorbau an dem steinernen Untergeschoß. Die andere bietet sich über einem Steinsockel als hoher, halbrunder Anbau vor dem rechten, niedrigeren Hausteil dar.

Die Utluchten der Bürgerhäuser, zu deren frühesten Beispielen die der Höxterschen Dechanei zählen, führten zu einer Veränderung der Lebensgewohnheiten innerhalb der Hausgemeinschaften. Während sich das Familienleben im Bauernhaus letztlich im hinteren Teil des Hauses, im Fleet und benachbarten Kammerfach, abspielte, wurde seit der Mitte des 16. Jh. unter oberdeutschem Einfluß die hellere und heizbare Wohnstube an die Hausfront verlegt. Im ausgehenden 16. und beginnenden 17. Jh. verbreiteten sich die Stubenutluchten vom Oberwesergebiet nach Norden ins Hannoversche. Wahrscheinlich gaben die Renaissanceerker von Schlössern, Rathäusern und gemauerten Bürgerhäusern das Vorbild ab. In monumentaler Ausgestaltung kommen Utluchten am 1614/16 errichteten steinernen Rathaus von Paderborn in doppelter Ausführung vor. Ebenfalls die noch aufzuzeigenden Fachwerkhäuser der Spätrenaissance in Hildesheim haben solche Utluchten bevorzugt.

Der beim Fächerornament denkbare Rückgriff auch auf romanische Formbildungen, die ja in der Malerei dieser Zeit eine favorisierte Wiederaufnahme erlebt hatten, wird dann auffälliger bei T 150 –153 der Gliederung der Brüstungsbretter einiger Häuser mit Rundbogenarkaden. Hauptsächlich das Leinetal sowie das Gebiet zwischen Harz und Lüneburger Heide kennen diese Schmuckform in der Spätzeit des 16. Jh. Um die plastische Wirkung zu erhöhen, wurden den Bogenstellungen Kämpfer aufgenagelt. Eine besonders reich ornamentierte Ausschmückung hat die Arkadenbrüstung am Z 143 wohl kurz nach 1570 erbauten ehem. Pastorenhaus von St. Blasii, Kirchplatz 4, in Hannoversch Münden erfahren. Eine derartige Auszierung gab es im Niedersächsischen aber keineswegs nur an den Brüstungen der Fachwerkhäuser, sondern sie wurde damals

Z 146 Schloß Bevern/Weser, 1603/12, Innenhof, Detail (Mechmann nach Uhde, Fig. 267).

ebenso an Emporenbrüstungen und Kanzelkörben im sakralen Bereich vielfach angewandt. Analoge Arkadenmotive an Truhen und auch Schränken zeigen, wie sehr diese Zierform bis ins Kunsthandwerkliche hinein beliebt war. Vereinzelt werden, wie etwa auf der Rückseite des Hauses Burgplatz 2 a in Braunschweig, die Brüstungsgefache durch zwischen Schwelle und Brustriegel eingezapfte Stiele halbiert. So entsteht eine Flächengestaltung, wie wir sie gleichfalls aus der Romantik in den Plattenfriesen kennen.

T 126

Mit dem beginnenden 17. Jh. gerät der Schmuckapparat des niedersächsischen Fachwerkbaues immer mehr in Abhängigkeit von dem Formenangebot der zeitgenössischen Steinarchitektur. Vor allem die hervorragende Stellung der Weserrenaissance spiegelt sich nun deutlich im dekorativen Aufwand der Fachwerkhäuser wider.

Wie erheblich nun die Affinität von Stein- und Holzarchitektur selbst an einem Bauwerk sein kann, ist unschwer am 1602/12 erbauten Schloß Bevern bei Holzminden abzulesen. Einmal werden hier die Hauptgliederungselemente des massiven Unterbaues mit ihrer feinteiligen Struktur im Fachwerkaufbau kongruent weitergeführt. Zusätzlich bereiten Details, wie etwa die Konsolen am Steinsockel, die Gerüstteile des Oberstockes so zwingend vor, daß es zu einer harmonischen Verklammerung beider Bauweisen kommt.

Z 146

T 165

Als nun neue Verzierung zeigen die Ständer Beschlagwerkschnitzereien, die dann für die erste Hälfte des 17. Jh. besonders an Ständern und Schwellen, bevorzugt auf Brüstungsplatten, den niedersächsischen Fachwerkbau charakterisieren. Diese Ornamentform geht auf gestochene Vorlagen des Niederländers Vredeman de Vries zurück. Sie besteht aus symmetrisch geordneten Bändern, Leisten und flachen, geometrischen Körpern, mit denen die Grundflächen gleichsam beschlagen sind. Nach anfänglicher Verwendung als tatsächlicher Beschlag für Truhen, Koffer und verwandte, zum Teil kunstgewerbliche Gegenstände fand das Ornament recht bald nach 1600 über die Steinarchitektur Einlaß in das Fachwerk. Bei ihm ist das Beschlagwerk mit Rücksicht auf das Material als verhältnismäßig ebene Schnitzerei angelegt, die sich im Laufe der Zeit vom schlichten Rautenmuster zum kompliziert verwobenen Netz

T 166
–171

178

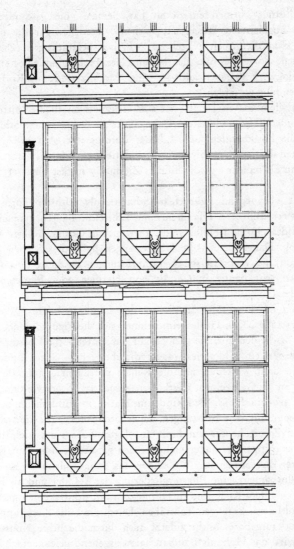

Z 147 Hannoversch Münden, Lange Straße 21, um 1650, Detail (Reuther, Hannoversch Münden, Abb. 6).

metallischer Formen entwickelt hat. Seinem vom geschmiedeten Blech abgeleiteten Wesen entsprechend, werden sogar die bisher rein zweckdienlichen Nägel zu ästhetisch beabsichtigten Zierelementen. Soweit es die Bearbeitung des Holzes zuließ, hat das Beschlagwerk daneben auch in seiner Modifizierung als Rollwerk Anwendung gefunden.

Z 145
T 168,
170

Seit dem späten 16. Jh. hat sich vielerorts bis in die Mitte des folgenden Jahrhunderts der Zahnschnitt als der geeignete Schmuck für die horizontalen Gerüstglieder durchgesetzt. Am 1587 vollendeten Rathaus zu Blomberg präsentiert er sich am Fachwerkaufbau als nahezu ausschließliches Ziermotiv in fast bizarrer Vielfalt.

Z 144

T 162
–163

Mit vorwiegend figürlichem Schmuck als reichster Form der Fachwerkschnitzerei erlangten dann zahlreiche Bauten, namentlich in Hildesheim und Halberstadt, aber auch in Goslar, höchste Vollendung. Dabei bleiben die Darstellungen figürlicher Szenen nicht nur auf die verbretterten Gefachbrüstungen beschränkt, sondern beleben sehr häufig in Gestalt von Hermen oder Planeten die Ständer.

T 174
–185

T 183

Beim ins Jahr 1554 zu datierenden Landsknechthaus, Wollenweberstraße 23, in Hildesheim nehmen sich die Figurenreliefs noch recht bescheiden aus. Sie bleiben auf das Untergeschoß beschränkt, das sie wie ein Bilderfries waagerecht überziehen. Gegen Ende des 16. Jh. dann verteilen sich die Reliefs durchgängig auf alle Gefache in den einzelnen Geschossen respektive Stockwerken. Das 1598 erbaute Haus Wedekind am Markt in Hildesheim besitzt nicht nur auf den Brüstungen seiner drei Stockwerke und seiner beiden Zwerchhäuser ein breit angelegtes Szenarium vielfältiger Figurengruppen, es bietet vielmehr den ganzen Kanon damals bekannter Zierformen auf. Wir finden das Zahnschnittmotiv wie das Metallornament, eine Pilastergliederung der Ständer und als Konsolen gebildete Knaggen; zu Füllhölzern mit Schiffskehlen gesellen sich solche mit kräftigen Taustäben. Durch die Fülle dieses üppigen Schmuckaufgebotes, nicht zuletzt auch durch die lichte Konstruktion wird das Holz als Baumaterial weitgehend geleugnet.

T 173

T 174

Die Inhalte der szenischen Darstellungen auf den Brüstungsplatten schildern gerne biblische Geschehnisse; häufig treten auch an ihre Stelle Überlieferungen aus der volkstümlichen Sagen- und T 178 –179 Sprichwortwelt. Vermutlich reichen die Wurzeln dieser doch ziemlich malerisch anmutenden Bauzier nach Hildesheim, wo es italienische Musterbücher mit Stichen entsprechender Motive als Vorlagen gegeben hat. Durch diese betont großflächige, auf den gesamten Bau konzipierte Ausschmückung wurde das plastische Gepräge der Fachwerkhäuser spürbar verändert.

Die Tendenz zu mehr Flächigkeit im Dekorativen fand ihre Entsprechung im konstruktiven Aufbau. So hatte sich das Vorkragen der Überhänge seit dem ausgehenden 16. Jh. zusehends verringert. Diese ebnende Intention schlug sich schließlich sogar in den Knaggen nieder. In Assimilierung an die Steinarchitektur formten sie sich zu Konsolen, die hinter dem übrigen Dekor zurücktraten. Bei etlichen Bauten hat dieser Verschmelzungsprozeß zu Verkröpfungen im Schnittbereich von Konsole, Schwelle und Ständer geführt.

Mittlerweile hat auch der uns schon bekannte Laubstab eine Umwandlung mitgemacht: er hat sich inzwischen zur Bandwelle entwickelt, einer Neuformulierung des früheren Stabes, der nur noch Astansätze aufweist und von einem analogen Band wellenartig begleitet wird. Aus dieser Bandwelle ging dann im Laufe des 17. Jh. das Diamantband hervor, das den zentralen Stab nicht Z 137 mehr kennt. Er wird abgelöst von einem Grat, der das Wellenmuster mit prismenartigen Formen füllt. Im Harzvorland, besonders in Quedlinburg und Werningerode, werden jetzt auch die Balkenköpfe entsprechend als Kristall oder Diamant ausgebildet.

Für das Fortbestehen des Fachwerkbauens bedeutete der Dreißigjährige Krieg einen Einschnitt von gravierender Tragweite. In Westfalen und Sachsen wurden die Holzvorkommen, insbesondere die Eichenwaldbestände, ganz erheblich dezimiert. Weil nun harte Hölzer nur schwer zu beschaffen waren, griff man zunehmend auf die weicheren Holzarten zurück. So führt der Mangel an geeignetem Baumaterial im Barock (1650–1800) zu einem stetigen Rückgang in der Errichtung von Fachwerkhäusern überhaupt. Bei Neubauten werden die Gerüstteile und hier vor allem die schmucktragenden Elemente spürbar verringert.

Der sich immer stärker abzeichnende Verzicht auf ein Auskragen

der Stockwerke macht schließlich sogar die Balkenkonsolen über-
flüssig, so daß Füllhölzer und Balkenenden sich zu einer einheit-
lichen Ebene schließen. Diese glatte Fläche zwischen Rahmen und
Schwelle wird hauptsächlich zum Schutz gegen Witterungseinflüsse
bald mit mehr oder weniger stark profilierten Gesimsbrettern ver-
blendet, die an die Sose fränkischer Fachwerkhäuser erinnern. Bisweilen geht die Reduzierung der Gerüstteile so weit, daß die Balken
mit dem Rähm verkämmt werden und die Schwelle folglich unmittelbar dem Rahmen aufliegt und sich so die Füllhölzer erübrigen.

T 144   In den vorwiegend holzarmen Gebieten in der Heide, besonders
–147 aber an den Seeküsten war bereits seit dem ausgehenden 16. Jh.
eine Ausfüllung der Gefache mit Backsteinen an die Stelle einer
Ausfachung mit Lehm und Holzwerk getreten.

Z 148   Am breitgelagerten Giebel des Hauses Müller in Brunsbüttel
von 1779 sind Backsteine unterschiedlichen Formates zu einer reich
ornamentierten Fläche verwoben. Als geometrische Muster füllen
Z 149 die Backsteine am etwa gleichzeitigen Haus Nr. 101 in Stein-
kirchen/Altes Land die Gefache in stets wechselnder, gewissermaßen musivischer Anordnung. Die Winkelhölzer dieses Hauses
sind wie Buckelstreben behandelt. Der optische Reiz, den die Back-
steinmotive in den Gefachen ausstrahlen, sichert für sie die An-
nahme einer Steinsichtigkeit.

    Schnitzereien figürlicher oder ornamentaler Art verebben in die-
ser Zeit nahezu. Die wenigen Ausnahmen satterer Ausschmückungen, wie beispielsweise am 1674 erbauten Krümmelschen Haus,
T 187 Breite Straße 74, in Werningerode, leben vom weichen Formen-
spiel von Knorpelwerk und Ohrmuschelstil.

    Inschriften dagegen zieren noch häufiger die Schwellen der jetzt
errichteten Häuser. Belebung erfahren die Fassaden jedoch fast nur
noch durch die Wiederaufnahme von Fußbändern, die sich unter
südlichem Einfluß als Buckelstreben auszubilden beginnen oder
nicht selten bei gesteigerten Maßen besonders die Eckständer als
„Halber Mann“ stützen. Verschiedentlich gesellen sich hierzu Ver-
schränkungen der Gefache durch Andreaskreuze. An die Brust-
Z 147 riegel gehängte Zapfen, teilweise mit eingeschnitzten Formen, be-
reichern als kennzeichnendes Merkmal in der Mitte des 17. Jh. die
äußerst graphisch anmutenden Straßenfronten im Werragebiet.

182

Z 148 Brunsbüttel, Haus Müller, 1779, Giebel (Bauernhaus-Atlas).
Maßstab 1 : 100.

Es fällt auf, daß sich die Eigentümlichkeiten des niedersächsischen Fachwerkbaues zum ausgehenden 18. Jh. immer mehr verlieren. Dafür wird die Aufnahmebereitschaft für Einflüsse aus anderen Landschaften, die Adaption fremder Fachwerkbauweisen deutlich größer. Die Art, in der Brust- und Kopfriegel an der Alten Post in Drensteinfurt aus der Mitte des 17. Jh. die Stockwerke in nahezu gleich hohe Felder unterteilen, muß neben dem hier vorhandenen „Wilden Mann" als Rückgriff auf alemannisches Formengut verstanden werden.

T 191
–192

Fränkische Elemente dominieren in Hornburg beim Haus Damm 7 von 1672. Die netzartige Ausfachung mit Viertelkreisstreben verschränkter Andreaskreuze ist im Fränkischen wie in zahlreichen Orten am Mittelrhein und an der Mosel mannigfach anzutreffen.

T 193
–194

Wie andere Gebiete hat auch Niedersachsen im endenden 18. und beginnenden 19. Jh. Holzkonstruktionsteile an den Hausfassaden als unedel empfunden. Vielfach wurden deshalb die Wandflächen im Steinton überstrichen, wenn nicht verputzt. Auch werden dem Putz häufig Fugen eingeritzt, um so den damals mehr geschätzten Quaderbau vorzutäuschen.

Z 149 Steinkirchen/Altes Land, Haus Nr. 101, 18. Jh., Giebel (Bauernhaus-Atlas). Maßstab 1 : 100.

Z 150 Vachdorf/Kr. Meiningen, Haus 113, Mitte 16. Jh., Unterstock zweite Hälfte 18. Jh., vor 1914 abgebrochen (Scholitzky, Thüringen, Abb. 49).

E. DER MITTEL- UND OSTDEUTSCHE FACHWERKBAU

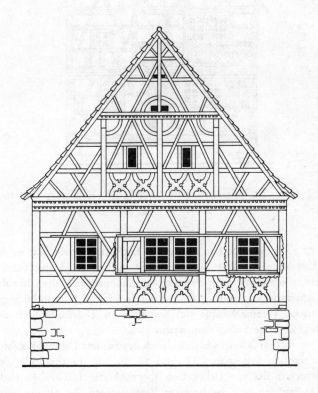

Z 151 Gleichamberg/Kr. Hildburghausen, Haus 6, 1584, 1912 abgebrochen (Scholitzky, Thüringen, Abb. 51).

Z 152 Haina/Kr. Meiningen, Haus 8, um 1700 (Scholitzky, Thüringen, Abb. 54).

Während der Blockbau eine große Entfaltung erlebt hat, ist der Fachwerkbau zunächst nur vereinzelt vorhanden. Unter fränkischem, niedersächsischem und auch alemannischem Einfluß hat das in Ansätzen vorhandene Fachwerk eine reiche Entwicklung genommen. Vereinzelt läßt sich besonders in Thüringen noch der mehrgeschossige Ständerbau nachweisen.

Das als charakteristisch thüringisch bezeichnete Fachwerk gehört vornehmlich dem späten 17. und 18. Jh. an. Es entspricht den Spätformen des von Dekoration überwucherten fränkischen Fachwerks mit den reich beschnitzten Fenstererkern. Bei älteren Häusern vor etwa 1620 stehen die Ständer verhältnismäßig weit auseinander, es entstehen dem alemannischen ähnlich liegende Gefache, später dann quadratische und schließlich stehende Gefache.

Z 153 Kühndorf/Kr. Suhl, Haus 51, um 1720, Fenstererker mit Schiebe-
läden (Scholitzky, Thüringen, Abb. 55).

Ebenso verhält es sich bei den Riegeln, zunächst nur ein Riegel,
später zwei mit ungleichmäßigen Abständen, erst nach 1750 sind
die drei Gefachreihen gleich hoch. Bis ins 18. Jh. hinein findet sich
die Verblattung als Holzverbindung. Das Andreaskreuz in ver-   Z 150
schiedenen Varianten ist seit dem 16. Jh. ein charakteristisches
Gliederungsmotiv, dazu als wandhohe Verstrebungsfigur seit dem   Z 155
16. Jh. der „Mann". Um die Mitte des 18. Jh. fällt ein Wandel   Z 150
zur Sachlichkeit auf.

Im nördlichen Thüringen (Harzvorland) herrscht der nieder-
sächsische Einfluß vor. In Sachsen gleichen die Häuser denen in
Thüringen, sind jedoch einfacher und nicht so reich verziert. Diese
Formen verbreiten sich dann auch nach Nordosten bis in die Mark
Brandenburg. Gleiches gilt für Schlesien, das Egerland, Böhmen

189

Z 154 Lehrna/Sachsen-Altenburg. Umgebindehaus (Bauernhaus, Atlas).

190

Z 155 Weissenbrunn, Am Forst 4 (Bauernhaus, Atlas).

Z 156 Goldberg/Niederschlesien, Bauernhaus in der selten anzutreffenden Ständer-Geschoß-Bauweise (Bauernhaus, Atlas).

Z 157 Grünfliess/Oberschlesien, Speicherbau, Fenster später (Löwe, 41).
Z 158 Adelsbach/Kr. Waldenburg/Niederschlesien. Gerüst eines Umgebindehauses (Löwe, 63).

192

193

Z 159 Waldau/Kr. Bunzlau/Niederschlesien, Haus 66, Umgebindehaus
(Löwe, 149).

Z 160 Schenkendorf/Kr. Waldenburg/Niederschlesien, Bauernhaus. Umgebindehaus (Bauernhaus, Atlas).

und im Norden bis nach Ost- und Westpreußen. Hier bestimmt T 198, 199
eine Häufung von kreuzförmigen Verstrebungsfiguren das Bild. In Z 156
Schlesien und im Egerland sind angeblattete Kopf- und Fußstre- Z 160
ben bis in die jüngste Zeit üblich.

Im Grenzgebiet zwischen Block- und Fachwerkbau, vom Fichtelgebirge über Südthüringen und Sachsen bis nach Schlesien und ins

Z 161   Reichenberg/Sudetenland, Tuchmacherhaus, 1670 (Löwe, 153).

Z 154,
159–162 Egerland, findet sich auch das Umgebinde oder der Umschrot, eine
Verbindung von Block- und Fachwerkbau. Um einen eingeschos-
sigen, ebenerdigen Blockbau wird eine Säulenstellung mit Spann-
riegeln und Winkelhölzern aufgerichtet, die auf einer oder mehreren Seiten einen Gang freiläßt und auf dem häufig verdoppelten
Rahmen (Umschrot) einen entsprechend vorkragenden Aufbau zumeist aus Fachwerk trägt. Die Schrotholzwand schützt im Unterstock Stube und Stall vor Kälte, während das Fachwerk die im
Oberstock liegenden Schüttböden umschließt. Das Rundholz wird
für die Schrotwand abgekantet und mit Rillen versehen, um ein
besseres Abdichten der Fugen mit Lehm zu ermöglichen. Die Ver-

Z 162 Oberndorf/Egerland. Umgebindehaus mit reich verziertem Giebel („Walen"), Ende 18. Jh. (Mechmann nach Bergmann, Plan 11).

bindung der Hölzer an den Hausecken wird als Verschränkung mit Vorstoß oder durch schwalbenschwanzförmiges Verzinken oder durch ein Hakenblatt erreicht. Das Fachwerk des Oberstocks wird von Säulen getragen, die auf dem Sockelmauerwerk aufstehen. Die Säulen sollen von den Schrotholzwänden die unmittelbare Last des Oberstocks abfangen und den Einfluß des 15fach stärkeren Schwindens in Querrichtung der Rundhölzer vom Oberstock fernhalten. Das Fachwerk des Oberstocks ist besonders durch lange, sich überkreuzende, angeblattete Streben gekennzeichnet.

Z 160
Z 161

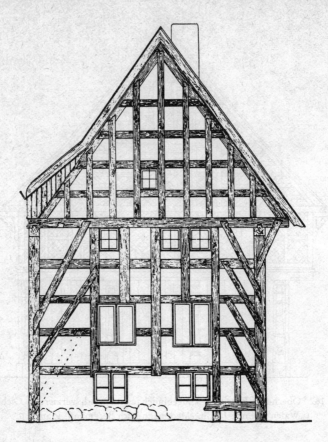

Z 163 Heilsberg, Neustadt, ursprünglich Speicherbau, etwa 16. Jh.?
(Hauke, Ost-Westpreußen, Abb. 108).

Besonders in Ost- und Westpreußen werden die Oberstöcke oder
nur die Giebel in Fachwerk ausgeführt und Erdgeschoßlauben aufgesetzt. In Ostpreußen haben sich sehr altertümlich wirkende,
mehrgeschossige Ständerbauten zumeist als Speicherbauten erhalten; sie dürften auf niedersächsische Vorbilder der norddeutschen
Küstenstädte zurückgehen.

T 200
T 201
T 196
T 197
Z 163

198

F. GLOSSAR

Für die Fachwerkarchitektur hat sich, wie auch für die Baukunst im weitesten Sinne, eine eigene Terminologie entwickelt. Zielsetzung dieses Glossars ist es, die grundlegenden Fachausdrücke ohne Anspruch auf Vollständigkeit und ungeachtet räumlich und örtlich verschiedener Sonderbauweisen aufzuzeichnen und zu definieren. Aus der volkskundlichen Hausforschung in die Terminologie eingeflossene, verschiedenartige lokale Benennungen sind nicht aufgenommen worden. Die Fachsprache soll einheitlich sein und auf die wichtigsten Begriffe reduziert bleiben.

Ein alphabetisch geordneter erster Teil sammelt die Fachausdrücke mit ihren Definitionen; ein durch Abbildungen illustrierter zweiter Teil erläutert die Holzverbindungen in ihren teilweise komplizierten Details. Hinter dem zu definierenden Fachausdruck folgen in Klammern gegebenenfalls synonyme Begriffe. Mit dem Hinweis „vgl." soll auf andere Begriffe verwiesen werden, die weitere Aufklärung über den gesuchten Ausdruck bringen. Wenn nach dem Stichwort lediglich durch „s." auf eine andere Definition verwiesen wird, handelt es sich bei dieser um einen synonymen Ausdruck. Im Sammelkapitel „Holzverbindungen" sind technische Begriffe zusammengefaßt, die, in Gruppen geordnet, Vergleichsmöglichkeiten der Details bieten.

Auf Literaturangaben im fortlaufenden Text wird verzichtet. Die wichtigsten Werke, die zur grundsätzlichen Klärung der Begriffe beigetragen haben, werden daher hier genannt:

THEODOR BÖHM, Handbuch der Holzkonstruktionen. Berlin 1911.

D. GILLY, Handbuch der Land-Bau-Kunst. 1. Teil, Berlin 1797.

HANS KOEPF, Bildwörterbuch der Architektur. Stuttgart 1968.

CARL SCHÄFER, Deutsche Holzbaukunst. Dresden 1937.

Wasmuths Lexikon der Baukunst. 5 Bde., Berlin 1929–37.

1. Fachausdrücke

Abbinden, alle zu einer Holzkonstruktion gehörigen Hölzer werden auf dem Werkplatz, der Zulage, zurechtgelegt und die erforderlichen Verbindungen ausgearbeitet.

Abfasen (abkanten, abgraten, abschrägen), eine Kante so abarbeiten, daß eine schräge, glatte Fläche (Fase) entsteht (vgl. Fase und Schmiege).

Abfasung, s. Fase.

Abgraten, s. abfasen.

Abgratung, bei Gratsparren die Abfasung der oberen Flächen, die die gleiche Neigung wie die anschließenden Dachflächen erhalten müssen.

Abgründung, s. Abplattung.

Abhängling, s. Hängezapfen.

Abkanten, s. abfasen.

Abkreuzung, s. Kreuzstakung.

Abplattung (Abgründung), eine hinter die Hauptflucht eines Balkens oder Brettes zurücktretende Fläche.

Abschrägen, s. abfasen.

Z 20   *Andreaskreuz,* x-förmige Balkenverstrebung, meist als Gefachverstrebung.

Z 104   *Anker,* Balken zur Aufnahme von Zugkräften.

Anschieber (Anschiebling), s. Aufschiebling.

Anschuhen, das Verlängern von Hölzern.

Aufsatteln, Aufeinanderfügen von konstruktiven Hölzern ohne Holzverbindung.

Z 30   *Aufschiebling* (Anschieber, Anschiebling), deckt bei Sparrendächern das Vorholz, das bei der Versatzung zur Sicherung des Sparrenfußes stehen bleibt und gleicht bei genügender Länge den Vorsprung für ein einheitliche Dachfläche aus.

Bälkchendecke, s. Riemchendecke.

Balken, tragende horizontale Kanthölzer.

Z 25   *Balkenlage* (Gebälk), zur Überdeckung eines Raumes in Abständen
Z 67   nebeneinander verlegte Balken.

Z 18   *Band,* s. Kopfband, Fußband; schräggestellte, versteifende Bohle zur Aufnahme von Zugkräften.

200

Besäumen, rechtwinkliges Bearbeiten der Seitenkanten von Brettern und Bohlen mit dem Beil (vgl. Holzverbindungen).

Binder (Dachbinder), das die Sparren oder Pfetten aufnehmende   Z 29
Tragwerk einer Dachkonstruktion, das in größeren Abständen zwischen den Leergespärren vorkommt.

Binderbalken, s. Bundbalken.

Blatt, dient der gegenseitigen Verlängerung, Überkreuzung oder   Z 18
Eckverbindung von Hölzern in der gleichen Ebene. Der Einschnitt des einen Holzes, der das Blatt des anderen aufnimmt, wird Blattsasse genannt (vgl. Holzverbindungen).

Bohle, durch größere Dicke tragfähiger gestaltetes Brett.

Bohlenbalkendecke, Raumüberdeckung aus Balken, in die Bohlen   T 23
eingefalzt sind.   Z 52

Bohlendecke, leicht gewölbte oder flache Decke aus Bohlen, die mit Nut und Feder verbunden sind und an den Seitenwänden in die Nut einer Wandbohle eingreifen.

Brett, dünnes breites Holz mit nur geringer Belastbarkeit, vornehmlich für Verkleidungen verwendet.

Brustriegel, Riegel, der als untere Begrenzung eines Fensters dient.   Z 16

Büge (Bug), Strebe, die den Balken verriegelt und den Überhang   T 1
gegen die Wand abstützt.

Bund, Verbindungsstelle zweier aufeinandertreffender Wände,   Z 60
z. B. Bundständer.

Bundbalken (Binderbalken), durchgehender Deckenbalken einer   Z 29
Dachbalkenlage, der mit den Sparren einen festen Verband bildet.

Bundgespärre (vgl. Gebinde).

Bundpfosten, vielfach fälschlich für Stuhlsäule.

Dach, Dachstuhl und darauf ruhende Dachdeckung (Dachhaut)   Z 29
bilden das Dach. Der Dachstuhl kann als Sparren- oder Pfettendach ausgebildet sein. Die Dachfläche wird begrenzt von der Traufe, dem Ort, dem First, bei gebrochenen Dächern auch von der Kehle, dem Grat oder dem Verfall. Giebel oder Walm bilden den frontalen Abschluß des Daches.

Dachausmittung (Dachausmittelung), geometrische Festlegung einer   Z 28
Dachform und ihrer Schnittlinien (Traufe, Ort, First, Grat, Kehle, Verfall) über dem Grundriß.

Dachbalken, horizontaler Balken, Teil des Dachgebälks.

Z 98   *Dachbalkenlage,* Balkenlage, die den Dachstuhl trägt.

Dachbinder, s. Binder.

Dachbund (vgl. Gebinde).

Dachdeckung (Dachhaut), bildet den wetterfesten Abschluß eines jeden geneigten Daches.

Dachfirst, s. First.

Dachformen, Pultdach mit einseitiger Neigung und einer Dachtraufe; Satteldach mit zweiseitiger Neigung in entgegengesetzter Richtung, zwei Dachtraufen und zwei Giebeln; Walmdach, bei dem die Giebel durch Dachneigungen ersetzt sind; Zeltdach über quadratischem oder vieleckigem Grundriß, wobei die Dachneigungen oben in einem Punkt zusammenlaufen; Kegeldach über rundem Grundriß.

Z 119   *Dachgaube* (Gaupe, Lukarne, Zwerchhaus), kleine, teilweise mehrgeschossige, in Querrichtung auf dem Dach sitzende Aufbauten mit Sattel- oder Walmdach und Fenster- oder Speichertür-Öffnungen.

Dachgebälk (vgl. Balkenlage).

Dachgebinde, s. Gebinde.

Dachgrat, s. Grat.

Dachhaut, s. Dachdeckung.

Dachkehle, s. Kehle.

Dachlatte, auf die Dachsparren waagerecht aufgenagelte Vierkantlatten, auf die die Dachziegel aufgelegt werden.

Z 32   *Dachschwelle,* waagerechter, rechtwinklig zu den Binderbalken laufender und mit diesen verkämmter Balken, der am Dachfuß angeordnet ist, um den Druck liegender Stuhlsäulen auf mehrere Balken zu übertragen oder um den Schub der Sparren aufzunehmen.

Dachstuhl, Traggerüst der Dachdeckung, s. Dach.

Dachtraufe, s. Traufe.

Doppelschifter, Schifter, der mit beiden Enden an einen Grat- oder Kehlsparren anfällt.

Drempelwand, s. Kniestock.

Dübel, kleines, rundes, prismatisches oder schwalbenschwanzförmiges Bauelement aus Holz, das ein seitliches Verschieben, Kippen oder Verkanten von Bauteilen verhindert.

Einhälsung, doppelter Blattzapfen (vgl. Holzverbindungen). Z 23

Erdgeschoß (vgl. Geschoßbau).

Etage, Wohn- und Nutzebene im Geschoß- und Stockwerkbau.

Fächerrosette, Ziermotiv in Form einer Halbkreisscheibe. Z 20

Falz, winkelförmige Ausarbeitung einer Kante (vgl. Holzverbindungen).

Fase, eine zu einer schrägen glatten Fläche abgearbeitete Kante (vgl. Schmiege).

Feder, schmale Leiste als Verbindung zweier genuteter Bretter oder Bohlen, oder einseitig an diese angearbeitet (vgl. Holzverbindungen).

First (Dachfirst), obere, meist waagerechte Begrenzung der Dachfläche.

Firstpfette, bei Pfettendächern zur Unterstützung der Sparren Z 29 unter dem First angeordnete Pfette, die von Säulen oder Stühlen gestützt wird.

Firstsäule, die Firstpfette stützendes, freistehendes Kantholz, das Z 29 vom Bundbalken abgefangen wird.

Flugsparrendreieck, s. Schwebegiebel.

Freigebinde (vgl. Gebinde).

Füllgespärre (vgl. Gebinde).

Füllholz, zumeist profiliertes Holz, zwischen den Balkenköpfen Z 22 von außen als Verkleidung der Decke eingeschoben.

Fußband, Band zwischen Ständer und Schwelle. Z 49

Fußriegel, s. Schwellenriegel.

Fußstrebe, Strebe zwischen Ständer und Schwelle. T 29

Fußwinkelholz, s. Winkelholz.

Gaupe, s. Dachgaube.

Gebälk, s. Balkenlage.

Gebinde (Dachgebinde), Sparrenpaar einer Dachkonstruktion.
1. Vollgebinde, Dachbund, Dachbinder; das zugehörige Sparrenpaar heißt Bundgespärre. – 2. Leergebinde, Freigebinde; das zugehörige Sparrenpaar heißt Leergespärre, Füllgespärre, Zwischengespärre. – 3. s. Lehrgebinde.

Gehrung, Zusammentreffen zweier Hölzer unter einem Winkel, dem sog. Gehrungswinkel (ausspringender Winkel = Gratgehrung, einspringender Winkel = Winkelgehrung) (vgl. Holzverbindungen).

Gerüst, die Gesamtheit der konstruktiven Hölzer.

Geschoßbau, von der Schwelle bis zur Traufe durchgehende Ständerkonstruktion, in die die einzelnen Etagen „eingeschossen" sind (Erdgeschoß, Obergeschosse).

Gespärre (Sparrenwerk), Gesamtheit der Sparren.

Z 28 *Grat* (Dachgrat), Schnittlinie zweier gegeneinander geneigter Dachflächen, die mit ihren Trauflinien eine ausspringende Ecke bilden.

Gratschifter, s. Schifter.

Gratsparren, Ecksparren eines Walmdaches.

Z 25 *Gratstichbalken,* diagonal angeordneter Stichbalken.

Z 12 *Grundschwelle,* auf Boden oder Sockelmauer liegende Schwelle.

Hängebalken, s. Hängewerk.

Hängesäule (Hängeständer), beim Hängewerk das senkrechte Holz, an dem der Hängebalken angehängt wird und das durch Streben gestützt wird.

Z 89 *Hängezapfen* (Abhängling), zapfenförmig herunterhängender Teil am unteren Ende einer Hängesäule, sowie an einem vorgezapften Ständer oder als Schmuckmotiv in der Wandfläche.

Hängewerk (Hängewerkdach), Dachstuhl aus einer oder mehreren, von Streben unterstützten Hängesäulen, an denen ein Hängebalken, der als Unter- oder Überzug das Gebälk trägt, hängt.

Z 56 *Hahnenbalken* (Hainbalken, Spitzbalken), oberster Kehlbalken des Dachstuhls, der eingezogen wird, sobald die freie Sparrenlänge vom First zum Kehlbalken zu groß wird.

Hauptgebinde, s. Gebinde.

Hirnholz, Querschnittfläche am Holz.

Z 89 *Jagdzapfen* (Schleifzapfen), schräg geschnittenes Zapfenloch in Konstruktionshölzern, in das sich der Zapfen einer Strebe nachträglich eindrehen (einjagen) läßt.

Z 23 *Kamm,* Verbindung zweier übereinanderliegender Hölzer, indem der an der Unterseite des oben liegenden Holzes ausgeschnittene Kamm in die auf der Oberseite des unteren Balkens entsprechend eingeschnittene Sasse eingreift (vgl. Holzverbindungen).

Kammsasse, s. Sasse.

Z 56 *Kehlbalken,* waagerechter Balken, zwischen einem Sparrenpaar, der beim Kehlbalkendachstuhl bei größerer Sparrenlänge zur

Unterstützung der Sparren dient. Er ist mit den Sparren verblattet, seltener verzapft und in jedem Gespärre angeordnet (vgl. Schifter).

Kehlbalkendachstuhl, die Sparren (bei größerer Länge) sind durch einen Kehlbalken, der horizontal von einem Sparren zum gegenüberliegenden führt, verbunden.   Z 29

Kehle (Dachkehle, Seiler, Rinne), Schnittlinie zweier gegeneinandergeneigter Dachflächen, die mit ihrer Trauflinie eine einspringende Ecke bilden.   Z 28

Kehlgebinde, Dachgebinde, das an einer Dachkehle durch einen Kehlsparren und den gegenüberstehenden Gratsparren gebildet wird.

Kehlschifter (Kehlschiftsparren), Sparren, die an einem Kehlsparren angeschiftet sind.

Kehlschiftsparren, s. Kehlschifter.

Kehlsparren, die zur Unterstützung einer Dachkehle angeordneten Sparren.

Kehlstichbalken, der unter einer Dachkehle angeordnete Stichbalken der Dachbalkenlage, der zur Aufnahme des Fußes eines Kehlsparrens dient.

Klaue, Verbindung zweier Hölzer, von denen das eine schräg gegen zwei Langseiten des anderen gesetzt ist (vgl. Holzverbindungen).

Knagge, Winkelholz, das die Balken verriegelt und den Überhang gegen die Wand konsolenartig abstützt.   Z 24   Z 134

Kniestock (Drempelwand, Versenkung), Dachraum mit senkrechten, etwa kniehohen Seitenwänden.

Konsole, Balkenauflager (ähnlich der Knagge).   Z 14

Kopfband, Band zwischen Ständer und Rahmen.   Z 18

Kopfriegel (Rahmenriegel), s. Riegel.

Kopfstrebe, Strebe zwischen Ständer und Rahmen.   Z 26

Kopfwinkelholz, s. Winkelholz.

Kreuzholz, s. Riemchendecke.

Kreuzstakung (Abkreuzung), Konstruktion zur gegenseitigen Versteifung von Balken einer Balkenlage durch kreuzweise angeordnete Latten, die sog. Kreuzstaken.

Längsverband, wird beim Sparrendach durch Windrispen, beim

Kehlbalkendach durch Rähme, beim Pfettendach durch Pfetten hergestellt. Zur Verstärkung des Längsverbandes werden zwischen den Pfetten bzw. Rähmen und den sie tragenden Stielen Kopfbänder oder Streben angeordnet.

Z 32

Leergespärre (Leergebinde), bei Dachkonstruktionen die Gespärre, die lediglich aus den Sparren gebildet werden und die, im Gegensatz zu den Bundgespärren (Haupt- oder Vollgebinden), keine Stuhlsäulen, Kehlbalken usw. enthalten, deren Dreieck also leer ist.

Lehrgespärre, Sparrenpaar, gegen das die Grat- und Kehlsparren geschiftet werden, oder das als Muster für die anderen dienende, zuerst verzimmerte Sparrenpaar.

Liegender Dachstuhl, s. Dachstuhl.

Lukarne, s. Dachgaube.

T 62
Z 19
Z 109

Mann, Ständer, in den je zwei sich überschneidende Kopf- und Fußstreben bzw. dreiviertelhohe Fußstreben und Kopfwinkelhölzer eingreifen.

Mauerlatte, auf einer Mauerkrone befindliches Holz als Auflager und Druckausgleich einer Balkenlage.

Messern, schräges Abarbeiten der Seitenkanten von Brettern und Bohlen (vgl. Holzverbindungen).

Nut, rillenartige Aussparung am Stoß eines Brettes, in die die Feder eingreift (vgl. Holzverbindungen).

Obergeschoß (vgl. Geschoßbau).

Z 29

Oberrähmverzimmerung, Verbindung des Bundbalkens unterhalb des Wandrähms mit den Ständern, während die Sparren direkt auf dem Wandrähm aufruhen und mit diesem verzimmert sind.

Z 28

Ort (Ortgang), Begrenzungslinie der Dachflächen am Giebel; linker und rechter Ort.

Z 29

Pfette, parallel zum First verlaufende Hölzer, die beim Pfettendach auf Querwänden oder Säulen aufruhen und die Dachhaut tragen, beim Pfettensparrendach als Firstpfette, Fußpfette und Mittelpfette auf Stuhlsäulen, Zangen oder Binderbalken aufruhen und die Sparren unterstützen.

Z 29

Pfettendach, Pfette ruht auf Querwänden oder Säulen auf und trägt die Sparren.

Pfettensparrendach, wenn anstatt der Querwände Binderbalken die   Z 29
Pfetten tragen, entsteht ein Pfettensparrendach, dessen Dachhaut von Sparren getragen wird.

Pfosten, in die Erde gegen Seitendruck verankerte Stütze.

Querverband, Konstruktion des Dachgerüstes zwischen jedem Sparrenpaar.

Rähm, s. Rahmen.

Rähmbau, s. Stockwerkbau.

Rahmen (Rähm), horizontaler, die Wand oben abschließender Balken.   Z 21

Rahmenbau (Rähmbau), s. Stockwerkbau.

Rahmenriegel, s. Riegel.

Reitersparren, s. Schifter.

Riegel, waagerechter Balken zwischen Stützen (Brustriegel, Sturz-   Z 16
riegel, Schwellenriegel, Rahmenriegel).

Riemchendecke (Bälkchendecke), Raumüberdeckung aus Kreuzhöl-   Z 58
zern (Riemchen), in die die Bohlen eingenutet sind.

Rinne, s. Kehle.

Rispe, s. Windrispe.

Roofen, an einer Firstpfette aufgehängte Sparren.

Säule, freistehende Stütze.

Sasse, bei Holzverbindungen der Einschnitt eines Holzes, in den sich der Ausschnitt des anderen einfügt (vgl. Holzverbindungen).

Saumschwelle, s. Stockschwelle.

Schifter (Schiftsparren, Reitersparren), kurzes Sparrenstück, das sich gegen einen Grat- bzw. einen Kehlsparren lehnt (Gratschifter, Kehlschifter, Doppelschifter).

Schleifzapfen, s. Jagdzapfen.

Schmiege, eine zu einer schrägen, gekehlten Fläche abgearbeitete Kante (vgl. Fase).

Schwäbisches Weible, Strebekonstruktion aus Ständer, Kopf- und   Z 19
Fußbändern, die sich in halber Höhe nicht treffen.   Z 49

Schwalbenschwanz, trapezförmige Ausbildung zur Verbindung   Z 18
zweier Hölzer, bei der der Ansatz schmäler ist als das Kopfende (vgl. Holzverbindungen).

Schwebeblatt, untere Verstärkung des Ständers durch ein Blatt,   Z 15

Z 47 a   das von dem mit einfachem Zapfen versehenen Fuß bis zur
  T 3   halben oder ganzen Höhe der Schwelle herunterreicht und die
        Fugen zwischen Ständer und Schwelle deckt (vgl. Holzverbin-
        dungen).

Z 97   *Schwebegiebel*, giebelseitig vorkragende Sparren werden am Fuße
  T 89   durch einen auf dem vorkragenden Rähm liegenden, in sich
        unverrückbaren Dreiecksverband, dem Flugsparrendreieck
        (Schweiz) oder Sparrenknecht, gehalten.

Z 12   *Schwelle*, horizontaler, wandtragender Balken (vgl. Grundschwelle,
        Saumschwelle, Schwellenriegel).

        Schwellenriegel, s. Riegel.

Z 88   *Schwertung*, an mehrere konstruktive Hölzer angeblattete Bohle.

  T 53   *Seiler*, s. Kehle.

        Skelettbau, s. Gerüst.

        Spannriegel, waagerechtes Holz zwischen den oberen Enden der
        Hängesäulen bei mehrfachen Hängewerken, bei liegenden Dach-
        stühlen zwischen den liegenden Stuhlsäulen zur Aufnahme des
        Druckes.

        Sparren, schräg ansteigende Hölzer einer Dachkonstruktion, die
        einander gegenüber angeordnet sind und die Dachhaut tragen.
        Die Bundsparren (Bindersparren) sind bei den Dachbindern
        (Bundbalken), die Leersparren zwischen diesen angeordnet. An
        Graten und Kehlen der Dächer sind die Gratsparren bzw. Kehl-
        sparren zu finden. An diesen anlaufende Sparren heißen Schift-
        sparren.

        Sparrendachstuhl, Dachkonstruktion aus Sparren, s. Sparren.

Z 30   *Sparrenfuß*, unteres, mit dem Bundbalken verbundenes Ende des
        Sparrens eines Sparrendaches.

        Sparrenknecht, s. Schwebegiebel.

        Sparrenkopf, unteres, über die Fußpfette überstehendes Ende des
        Sparrens eines Pfettendaches.

        Sparrenwerk, s. Gespärre.

        Spitzbalken, s. Hahnenbalken.

  Z 8   *Spundung*, winkliges Ineinandergreifen von Brettern und Bohlen
        (vgl. Holzverbindungen).

Z 13   *Ständer*, auf Boden, Sockelmauer oder Schwelle aufgesetzte, auch
        durch mehrere Geschosse reichende Stütze.

Staken, Ausfüllung der Gefache einer Wand oder Decke mit Stakhölzern, die verflochten und mit Strohlehm umgeben sind.

Stehender Dachstuhl, s. Stuhl.

Stichbalken, ein an einem Ende mit einem Deckenbalken verbun- Z 25
dener und mit dem anderen Ende auf einer Wand aufruhender, zumeist vorkragender Balken.

Stiel, nicht tragendes, senkrechtes Holz zwischen Riegeln, Schwellen und Rahmen.

Stockschwelle (Stockwerkschwelle, Saumschwelle), Schwelle der einzelnen Stockwerke.

Stockwerkbau, in sich abgezimmerte, jeweils als selbständige Gerüste gebildete, übereinandergestellte Etagen (Unterstock, Oberstöcke).

Stockwerkschwelle, s. Stockschwelle.

Stoß, durch das Gegeneinandertreffen von Schnittflächen als Holzverbindung zur Verlängerung in der gleichen Ebene (vgl. Holzverbindungen).

Strebe, schräggestellter, versteifender Balken zur Aufnahme von Z 95
Druckkräften (vgl. Kopfstrebe, Fußstrebe).

Strebefigur (Verstrebung), Anordnung von Stütze und Streben, die beliebig oft als Gefachfüllung wiederholt werden kann (s. Andreaskreuz, Mann, Schwäbisches Weible).

Streichbalken, neben einer Wand oder Mauer liegender Balken.

Stütze, senkrechter, tragender Balken.

Stuhl (Stuhlwand), stehend oder liegend; beim Kehlbalken- oder Z 29
Pfettendach die Gesamtheit der in einer Ebene parallel zum First angeordneten Stuhlsäulen, mit ihren zumeist verstrebten Schwellen und Rähmen bzw. Pfetten, die zusammen den Längsverband eines Dachwerkes bilden. Stehender Stuhl bei senkrechter Stellung der Stuhlsäulen, entweder in der Mitte unter dem First (einfach stehender Stuhl) oder seitlich symmetrisch (doppelt stehender Stuhl) oder kombiniert (dreifach stehender Stuhl); liegender Stuhl, bei dem die Stuhlsäulen schräg nach den Z 31
Außenwänden angeordnet sind. Z 32

Stuhlsäule (fälschlich auch Bundpfosten oder Stuhlwandpfosten genannt), unterstützt beim Kehlbalkendach die Kehlbalken und beim Pfettendach die Pfetten; sie wird senkrecht oder schräg angeordnet (stehender oder liegender Stuhl).

Stuhlwand, s. Stuhl.

Stuhlwandpfosten, vielfach fälschlich für Stuhlsäule verwendet.

Sturzriegel, Riegel als obere Begrenzung des Fensters.

Traufe (Dachtraufe), untere waagerechte Begrenzung der Dachfläche.

Z 94 *Überhang*, Vorkragen von Stockwerken.

Überzug, Entlastungsbalken über einer Balkenlage.

Unterzug, Entlastungsbalken unter einer Balkenlage.

Z 28 *Verfall* (Verfallung, Verfallungsgrat), Grat, der bei zusammengesetzten Dächern von einem höher gelegenen zu einem tieferen First „fällt" (vgl. Dachausmittung).

Versatzung, Holzverbindung bei schiefwinkliger Verbindung von Hölzern in einer Ebene durch flaches Einschneiden der Hölzer ineinander (vgl. Holzverbindungen).

Versenkung, s. Kniestock.

Verstrebung, s. Strebefigur.

Verzahnung, zahnartig ineinandergreifende Ausschnitte zur schubsicheren Holzverbindung (vgl. Holzverbindungen).

Vollgebinde (vgl. Gebinde).

Wechselbalken, an beiden Enden mit anderen Balken verbunden.

Z 18 *Weichschwanz* (Weißschwanz), halber Schwalbenschwanz (vgl. Holzverbindungen).

Windbrett, obere Abdichtung des Zwischenraumes zwischen Ständern und Decke.

Windrispe (Windlatte, Windstrebe), Längsverband beim Sparrendach durch Latten (Wind-Rispen), die unter den Sparren schräg zur Trauflinie befestigt sind.

Z 107 *Winkelholz*, in der Wandfläche liegendes Holzdreieck zur Winkel-
Z 20   versteifung von Stütze und Schwelle (Fußwinkelholz) bzw. Rahmen (Kopfwinkelholz).

Zange, doppelt angeordnete, durch Zug beanspruchte Hölzer, die von beiden Seiten in ihrer Lage festzuhaltende hölzerne Bauglieder umfassen und mit diesen verbolzt oder verblattet sind.

Zapfen, Holzverbindung, bei der an der Schnittfläche eines der beiden Hölzer ein Zapfen ausgearbeitet wird, der sich keilför-

mig in den am anderen Holz eingearbeiteten Schlitz einfügt
(vgl. Holzverbindungen).

Zwerchhaus, s. Dachgaube.

Zwischengespärre (vgl. Gebinde).

2. HOLZVERBINDUNGEN

A. Verlängerung der Hölzer in einer Ebene

I. Stoß
 a) gerader Stoß, stumpfer Stoß (erfordert meist zusätzliche Sicherung)
 b) schräger Stoß (erfordert meist zusätzliche Sicherung)
II. Blatt
 a) gerades Blatt
  1. einfaches gerades Blatt (erfordert meist zusätzliche Sicherung durch Holznagel)
  2. schräg eingeschnittenes Blatt, gerades Blatt mit schiefem Stoß
 b) schräges Blatt
  1. einfaches schräges Blatt (erfordert zusätzliche Sicherung durch Holznagel)
  2. schräges Blatt mit festem Keil
 c) Hakenblatt
  1. einfaches gerades Hakenblatt
  2. schräg eingeschnittenes Hakenblatt
  3. schräges Hakenblatt

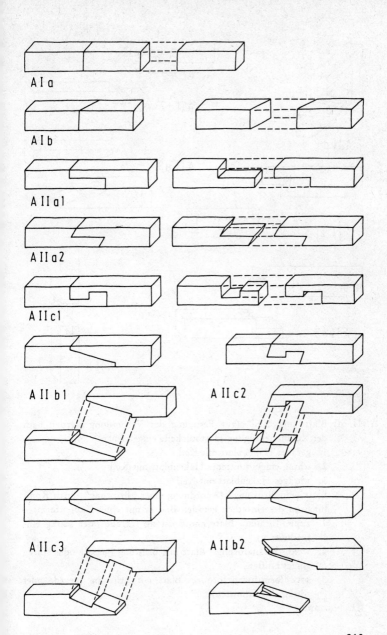

A I a

A I b

A II a1

A II a2

A II c1

A II b1

A II c2

A II c3

A II b2

213

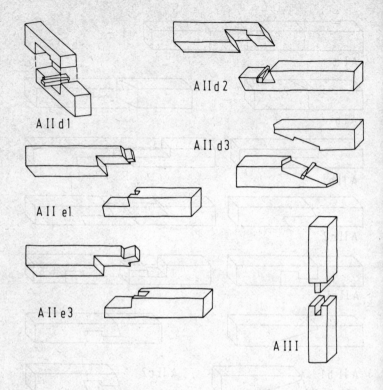

A II d 1

A II d 2

A II d 3

A II e1

A II e 3

A III

A. II. d) Blatt „mit Keil" (zur Festigung der Verbindung werden nach
der Zusammenfügung Hartholzkeile eingetrieben)
1. gerades Hakenblatt mit Keil
2. schräg eingeschnittenes Hakenblatt mit Keil
3. schräges Hakenblatt mit Keil

e) Blatt „mit Brüstung" (Anordnung einer „Brüstung" durch Kombination des einfachen geraden Blattes mit einer Zapfenform)
1. zapfenförmiges Blatt mit Brüstung (gerade oder schräg eingeschnitten)
2. weichschwanzförmiges Blatt mit Brüstung (gerade oder schräg
eingeschnitten)
3. schwalbenschwanzförmiges Blatt mit Brüstung (gerade oder
schräg eingeschnitten)

III. Nutzapfen

214

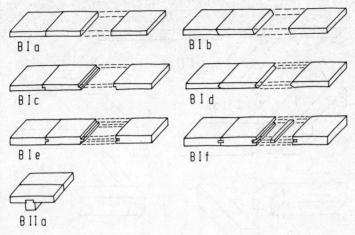

B I a B I b B I c B I d B I e B I f B II a

B. Verbreiterung von Bohlen und Brettern in einer Ebene

I. Verbreiterung ohne Befestigung auf einer Unterlage
   a) besäumen
   b) messern
   c) Falz
   d) Spundung
   e) Nut-Feder
   f) Nut mit eingeschobener Feder
II. Verbreiterung „auf Gratleiste"
   Untergruppen wie I a)–f)

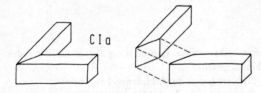

C I a

C. Winkelverbindung der Hölzer in einer Ebene

I. Stoß auf Gehrung (auch bei Brettern und Bohlen; beide Hölzer enden an der Verbindungsstelle)
   a) rechtwinkliger Stoß
   b) schiefwinkliger Stoß

215

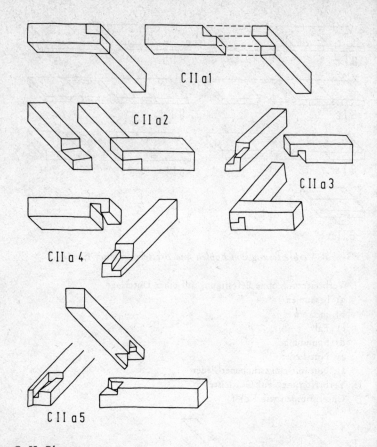

C. II. Blatt
  a) winkelförmige, rechtwinklige Überblattung (beide Hölzer enden
     an der Verbindungsstelle)
     1. gerades Eckblatt (meist durch Holznagel gesichert)
     2. schräges Eckblatt (meist durch Holznagel gesichert)
     3. hakenförmiges Eckblatt
     4. hakenförmiges Eckblatt mit Weichschwanz
     5. verdecktes hakenförmiges Eckblatt mit Weichschwanz
  b) winkelförmige, schiefwinklige Überblattung (beide Hölzer enden
     an der Verbindungsstelle)
     Untergruppen wie II a) 1–5

216

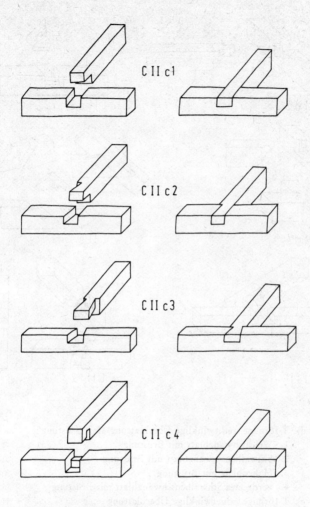

C II c1

C II c2

C II c3

C II c4

C. II. c) T-förmige, rechtwinklige Überblattung (eines der Hölzer endet an der Verbindungsstelle)
1. einfaches gerades Blatt
2. Weichschwanzblatt
3. Schwalbenschwanzblatt
4. Hakenblatt

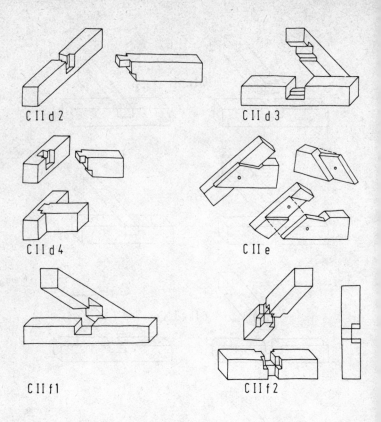

C II d 2

C II d 3

C II d 4

C II e

C II f 1

C II f 2

C. II. d) T-förmige, rechtwinklige Überblattung „mit Brüstung"
1. Weichschwanzblatt mit Brüstung
2. Schwalbenschwanzblatt mit Brüstung
3. Hakenblatt mit Brüstung
4. verdecktes Schwalbenschwanzblatt mit Brüstung
e) T-förmige, schiefwinklige Überblattung
weichschwanzförmige Überblattung bei spitzwinkligem Zusammentreffen der Hölzer (auch bei ungleicher Stärke, kommt besonders bei Dachkonstruktionen vor)
f) durchgehende Überblattung
1. einfaches gerades Blatt (rechtwinklig und schiefwinklig)
2. verschränktes Blatt (rechtwinklig)

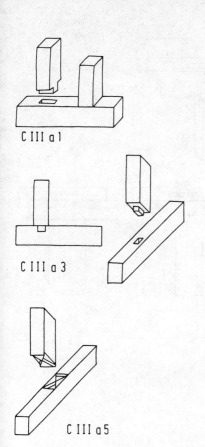

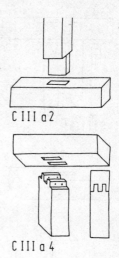

C III a 1

C III a 2

C III a 3

C III a 4

C III a 5

C. III. Zapfen

    a) einfache T-förmige Verzapfung (eines der Hölzer endet an der Verbindungsstelle)

        1. einfacher gerader Zapfen

        2. Schlitzzapfen (mit durchgehendem Zapfenloch)

        3. einseitig (oder beidseitig) geächselter Zapfen, zurückgesetzter Zapfen

        4. doppelter (dreifacher) Zapfen

        5. Kreuzzapfen

219

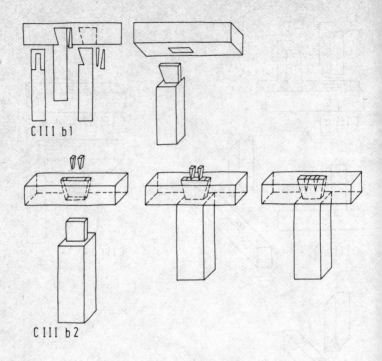

CIII b1

CIII b2

C. III. b) T-förmige Verzapfungen „mit Keil" (eines der Hölzer endet an
der Verbindungsstelle)
1. Weichschwanzzapfen mit Doppelkeil
2. offener Grundzapfen (Schwalbenschwanz)
3. verdeckter Grundzapfen (Schwalbenschwanz)
4. Durchsteckzapfen mit Keil (Zapfenschloß)
c) T-förmige Verzapfungen mit Zapfen-Blatt-Kombination, Blattzapfen (eines der Hölzer endet an der Verbindungsstelle)
1. einfacher Blattzapfen
2. doppelter Blattzapfen, Einhälsung
3. Schwebeblatt

220

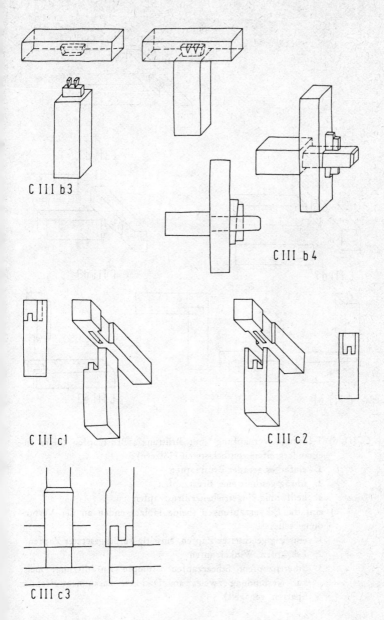

C III b3

C III b4

C III c1

C III c2

C III c3

221

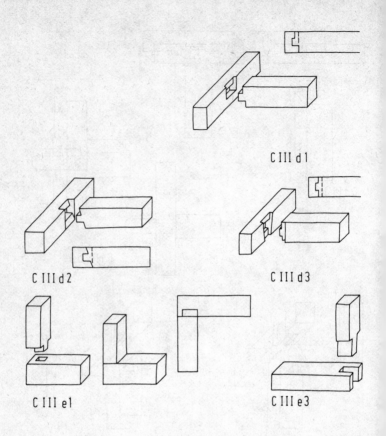

C III d 1

C III d 2

C III d 3

C III e 1

C III e 3

C. III. d) T-förmige Verzapfung „mit Brüstung", Brustzapfen (beim In-einandergreifen von belasteten Hölzern)
1. einfacher gerader Brustzapfen
2. schräg geschnittener Brustzapfen
3. keilförmig eingetriebener Brustzapfen
   e) einfache Eckverzapfungen (beide Hölzer enden an der Verbindungsstelle)
1. einseitig geächselter Zapfen, einseitig zurückgesetzter Zapfen
2. Eckzapfen, Winkelzapfen
3. Scherenzapfen, Scheerzapfen (stumpfe Anschlitzung; meist zur Verbindung zweier am Dachfirst zusammentreffender Sparren, genagelt)

222

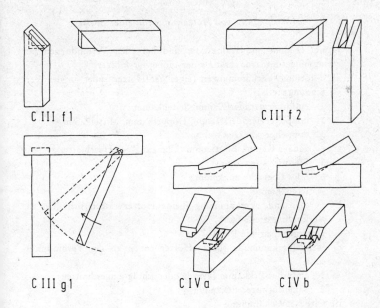

C III f 1   C III f 2

C III g 1   C IV a   C IV b

C. III. f) Eckverzapfungen auf Gehrung (beide Hölzer enden an der Verbindungsstelle)
    1. Zapfen auf Gehrung (Anschlitzung auf Gehrung)
    2. Scherenzapfen auf Gehrung
  g) schiefwinklige Verzapfungen (beide Hölzer enden an der Verbindungsstelle)
    1. Jagdzapfen (zur Befestigung von Kopfstreben, Kreuzstreben, bei deren nachträglicher Einfügung)
    2. Untergruppen wie III f) 1 und 2: auf schiefwinklige Gehrung
 IV. Versatzung (bei nicht rechtwinklig aufeinandertreffenden Hölzern)
  a) einfache Versatzung
  b) doppelte Versatzung
 V. Verzinkung (= Tischlerverbindung)

D. Verbindung von Hölzern nicht in einer Ebene

I. Kamm (Kamm und Kammsasse sind bei allen Verbindungen nur gering eingeschnitten, etwa ¹/₈ der Höhe der Hölzer)

    a) T-förmige Verkämmungen (eines der Hölzer endet an der Verbindungsstelle)

       1. einfacher gerader Kamm, Seitenkamm
       2. doppelter gerader Kamm, Doppelkamm, Mittelkamm
       3. doppelter schräger Kamm
       4. ganzer Kamm, Blattkamm (Übergang zur Überblattung)
       5. Weichschwanzkamm
       6. Schwalbenschwanzkamm
       7. Kreuzkamm

    b) durchgehende Verkämmung (beide Hölzer setzen sich über die Verbindungsstelle fort)
       Untergruppen wie I a) 1–7

    c) Winkelverkämmung (beide Hölzer enden an der Verbindungsstelle)

       1. einfacher Eckkamm (gerade oder schräg eingeschnitten)
       2. hakenförmiger Eckkamm

    d) seitliche Verkämmung
       Seitenzapfen (ein waagerechter Balken wird seitlich an einem senkrecht stehenden befestigt, mit Keilen und Knagge gefestigt)

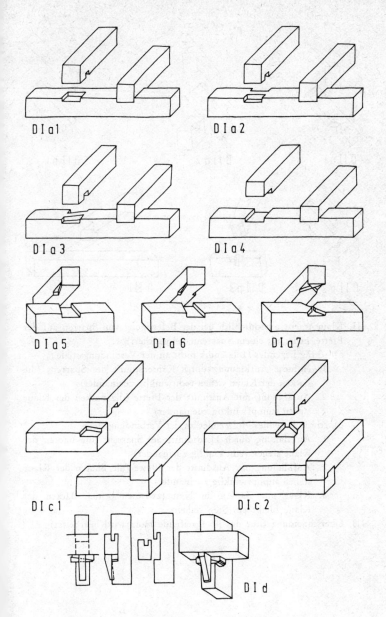

D I a 1

D I a 2

D I a 3

D I a 4

D I a 5

D I a 6

D I a 7

D I c 1

D I c 2

D I d

225

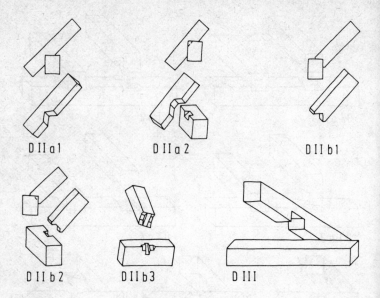

D II a 1   D II a 2   D II b 1

D II b 2   D II b 3   D III

D. II. Klaue (meist ausschließlich bei der Befestigung von Sparren auf der
        Pfette, meist mit einem Sparrennagel gesichert)
        a) schräg liegendes Holz endet nicht an der Verbindungsstelle
            1. einfache Aufklauung durch Kantenschnitt des Sparrens (die
               Backen der Klaue stehen rechtwinklig zueinander)
            2. Aufklauung mit Anschnitt der Pfette (die Backen der Klaue
               stehen stumpfwinklig zueinander)
        b) schräg liegendes Holz endet an der Verbindungsstelle
            1. Aufklauung durch Hirnschnitt des Sparrens (die Backen der
               Klaue stehen rechtwinklig zueinander)
            2. Aufklauung mit Anschnitt der Pfette (die Backen der Klaue
               stehen stumpfwinklig zueinander)
            3. Klaue mit Zapfen im Nest (zwischen beiden Backen der
               Klaue bleibt ein Steg stehen)
    III. Überschneidung (nur das übergreifende Holz wird bearbeitet)

G. LITERATUR

1. BIBLIOGRAPHIEN

SOMMER, KURT A.: Bauernhof-Bibliographie. Leipzig 1944
EITZEN, GERHARD: Deutsche Hausforschung in den Jahren 1953–1962.
In: Zeitschr. f. Agrargesch. u. Agrarsoziologie 11, 1963, 213–233
HÄHNEL, JOACHIM: Literaturbericht zur Hauskunde 1961–1967. In:
Rheinisch-westfälische Zeitschr. f. Volksk. 15, 1968, 5–68; 16, 1969,
5–50; 17, 1970, 128–189
HÄHNEL, JOACHIM: Hauskundliche Bibliographie 1, 1961–1970, 1. Teil.
Münster 1972 = Beiträge z. Hausforschung Reihe B

2. ALLGEMEIN

ANHEISSER, ROLAND: Das mittelalterliche Wohnhaus in deutschstämmi-
gen Landen. Stuttgart 1935
BÖHM, THEODOR: Handbuch der Holzkonstruktionen des Zimmermanns.
Berlin 1911
CORRELL, FERDINAND u. STEGMANN, HANS: Deutsche Fachwerkbauten
der Renaissance. Berlin 1900
FIEDLER, WILHELM: Das Fachwerkhaus in Deutschland, Frankreich und
England. Berlin 1902 = Beitr. z. Bauwissenschaft 1.
GAUS, JOACHIM: Die Urhütte. Über ein Modell in der Baukunst und ein
Motiv in der Bildenden Kunst. In: Wallraf-Richartz-Jb. 33, 1971,
7–70
GRUBER, OTTO: Deutsche Bauern- und Ackerbürgerhäuser. Karlsruhe 1926
HANSEN, HANS JÜRGEN (Hrsg.): Holzbaukunst. Eine Geschichte der
abendländischen Holzarchitektur und ihrer Konstruktionselemente.
Hamburg 1969
HESS, FRIEDRICH: Konstruktion und Form im Bauen. Stuttgart 1943
LEIXNER, OTMAR VON: Der Holzbau in seiner Entwicklung und in sei-
nen charakteristischen Typen. Wien 1907
PHLEPS, HERMANN: Deutsche Fachwerkbauten. Königstein i. T. 1951 =
Die Blauen Bücher

PHLEPS, HERMANN: Holzbaukunst. Der Blockbau. Karlsruhe 1942

SAGE, WALTER: Fachwerk – Fachwerkbau. In: Reallexikon z. dt. Kunstgesch. 6, 1972, 938–992

SCHÄFER, CARL: Die Holzarchitektur Deutschlands vom 14. bis 18. Jahrhundert. Berlin 1883–88

SCHÄFER, CARL: Deutsche Holzbaukunst. Dresden 1937, hrsg. von P. Kanold

SCHÄFER, DIETRICH, PREJAWA, H. u. SAVELS, AUGUST: Das Bauernhaus im Deutschen Reiche und in seinen Grenzgebieten. Textband und Atlas. Dresden 1906

THIEDE, KLAUS: Deutsche Bauernhäuser. Königstein i. T. – Leipzig 1941 = Die Blauen Bücher

UHDE, CONSTANTIN: Die Konstruktion und die Konstruktionsformen der Architektur 2, Der Holzbau. Berlin 1903

3. DER DACHSTUHL

OSTENDORF, FRIEDRICH: Geschichte des Dachwerks. Berlin 1908

VOGTS, HANS: Dach. In: Reallexikon z. dt. Kunstgesch. 3, Stuttgart 1954, 932–944 mit Lit.

WILDEMAN, THEODOR: Die Verbreitung der Laubenhäuser, Holzgalerien und Ziergiebel in den Rheinlanden. In: Rhein. Verein f. Denkmalpflege u. Heimatschutz 24, 1931, 157–195

4. DIE BEARBEITUNG

VAN TYGHEM, FRIEDA: Op en Om de Middeleeuwse Bouwwerf. Brussel 1966

BINDING, GÜNTHER (Hrsg.): Romanischer Baubetrieb in zeitgenössischen Darstellungen. Köln 1972 = 2. Veröff. d. Abt. Architektur d. Kunsthist. Inst. d. Univ. Köln, mit Lit.

5. DAS HANDWERK

GROTE, ANDREAS: Der vollkommene Architectus. München 1959

MUMMENHOFF, ERNST: Der Handwerker in der deutschen Vergangenheit. Leipzig 1901

6. Der früh- und hochmittelalterliche Fachwerkbau

Binding, Günther: Burg und Stift Elten am Niederrhein. Düsseldorf 1970 = Rhein. Ausgrabungen 8

Binding, Günther: Holzbauperioden des 1. Jh. unter der Colonia Ulpia Traiana in Xanten. In: Rhein. Ausgrabungen 12, Bonn 1973, 1–23

Hinz, Hermann: Zur Vorgeschichte der Niederdeutschen Halle. In: Zeitschr. f. Volksk. 60, 1964, 1–22

Müller-Wille, Michael: Eine Niederungsburg bei Haus Meer, Gemeinde Büderich, Kreis Grevenbroich. In: Rhein. Ausgrabungen 1, Köln-Graz 1968, 1–55

Phleps, Hermann: Die norwegischen Stabkirchen. Karlsruhe 1958

Radig, Werner: Frühformen der Hausentwicklung in Deutschland. Berlin 1958

Sage, Walter: Frühmittelalterlicher Holzbau. In: Karl der Große 3, Karolingische Kunst, Düsseldorf 1965, 573–590, mit Lit.

Schietzel, Kurt u. Zippelius, Adelhart: Die archäologischen Befunde der Ausgrabung Haithabu 1963–1964. Neumünster 1969 = Berichte über die Ausgrabungen in Haithabu 1

Scholkmann, Barbara: Die archäol. Untersuchungen in der Oberen Vorstadt/Wurmberg zu Sindelfingen. In: Stadt Sindelfingen, Jahresbericht 1972, 155–201

Soeder, Hans: Urformen der abendländischen Baukunst. Köln 1964

Trier, Bendix: Das Haus im Nordwesten der Germania Libera. Münster 1969, mit Lit.

Winkelmann, Wilhelm: Die Ausgrabungen in der frühmittelalterlichen Siedlung bei Warendorf (Westf.). In: Neue Ausgrabungen in Deutschland, Berlin 1958, 492–517

Zippelius, Adelhart: Das vormittelalterliche dreischiffige Hallenhaus in Mitteleuropa. In: Bonner Jbb. 153, 1953, 13–45

Zippelius, Adelhart: Vormittelalterliche Zimmertechnik in Mitteleuropa. In: Rhein. Jb. f. Volkskunde 5, 1954, 7–52

Zippelius, Adelhart: Die Rekonstruktion und baugeschichtliche Stellung der Holzbauten auf dem „Husterknupp". In: A. Herrnbrodt, Der Husterknupp. Köln-Graz 1958, 123–200

Zürn, Hartwig: Das jungsteinzeitliche Dorf Ehrenstein (Kr. Ulm). Die Baugeschichte. Stuttgart 1965 = Veröffentl. d. staatl. Amtes f. Denkmalpflege Stuttgart A, Heft 10/1

7. Kirchen

BINDING, GÜNTHER: Niederrheinische Holzkirchen auf Schwellbalken. In: Bonner Jbb. 170, 1970, 279–288

DIENWIEBEL, H.: Oberschlesische Schrotholzkirchen. Breslau 1938

FEHRING, GÜNTER: Die Stellung des frühmittelalterlichen Holzkirchenbaues in der Architekturgeschichte. In: Jb. d. Röm.-Germ. Zentralmuseums Mainz 14, 1967, 179–197

OSWALD, FRIEDRICH, SCHAEFER, LEO u. SENNHAUSER, HANS RUDOLF: Vorromanische Kirchenbauten. München 1966(–1970)

ZIMMERMANN, WALTER: Ecclesia lignea und ligneis tabulis fabricata. In: Bonner Jbb. 158, 1958, 414–453

8. Der alemannische Fachwerkbau

EITZEN, GERHARD: Zur Geschichte des südwestdeutschen Hausbaues im 15. und 16. Jh. In: Zeitschr. f. Volksk. 59, 1963, 1–38

GÖTZ, ALFONS: Das mainfränkische Bauernhaus. Würzburg 1938

GÖTZGER, HEINRICH u. PRECHTER, HELMUT: Reg.-Bez. Schwaben. München 1960 = Das Bauernhaus in Bayern 1, hrsg. von J. Ritz

GRUBER, OTTO: Bauernhäuser am Bodensee. Konstanz-Lindau 1961, hrsg. von K. Gruber

HEINITZ, OSKAR: Das Bürgerhaus zwischen Schwarzwald und Schwäbischer Alb. Tübingen 1970 = Das dt. Bürgerhaus 12, hrsg. von A. Bernt

HEITZ, GEORG: Die Fachwerkhäuser im Hanauerland. In: Die Ortenau, Mitt. d. hist. Ver. f. Mittelbaden 18, 1931, 154–176

HELM, RUDOLF: Das Bauernhaus im Gebiet der freien Reichsstadt Nürnberg. Berlin 1940

HUXHOLD, ERWIN: Die älteren Fachwerkbauten im Kraichgau. Ein Beitrag zur Kenntnis d. Holzbaukunst d. 15. und 16. Jh. Diss. Karlsruhe 1954 (Maschinenschrift), demnächst in der Reihe Das dt. Bürgerhaus, hrsg. von G. Binding

LACHNER, CARL: Der Süddeutsche Ständerbau und der Blockbau. Leipzig 1887 = Gesch. d. Holzbaukunst in Deutschland 2

LOCHER, FRITZ: Konservierung und Restaurierung des Schoberschen Hauses in Pfullendorf. In: Nachrichtenblatt d. öffentl. Kultur- und Heimatpflege 1953, 9/10, 4 f.

MULRER, ERICH: Der Nürnberger Fachwerkbau. In: Mitt. d. Ver. f. Gesch. d. Stadt Nürnberg 55, 1967/68, 300–331

PHLEPS, HERMANN: Alemannische Holzbaukunst. Wiesbaden 1967, hrsg. von E. Mix

RÖPKE, INGEBORG: Das Fachwerkhaus in Unterfranken. München 1967

SCHAHL, ADOLF: Fragen der Fachwerkforschung in Südwestdeutschland. In: Zeitschr. f. württemberg. Landesgesch. 26, 1967, 225–243

SCHILLI, HERMANN: Das Schwarzwaldhaus. Stuttgart 1964

SCHILLI, HERMANN: Bauernhäuser der Ortenau. In: Die Ortenau, Mitt. d. hist. Ver. f. Mittelbaden 23, 1936, 17–48

SCHMIEDER, LUDWIG: Alemannische Stadthäuser und ihre Stellung in der Geschichte des deutschen Fachwerkbaues. In: Neue Heidelberger Jbb. N. F. 1936, 122–135

SCHWEMMER, WILHELM: Das Bürgerhaus in Nürnberg. Tübingen 1972 = Das dt. Bürgerhaus 16, hrsg. von G. Binding

ZIMMERMANN, WILLI: Alt-Heilbronner Fachwerkbauten. In: Jb. d. Hist. Vereins Heilbronn 19, 115–134

9. DER FRÄNKISCHE FACHWERKBAU

Bauernhofaufmaße – Hessen. Münster i. W. 1968

BEDAL, KARL: Das Bauernhaus im nordöstlichen Franken. In: Arbeitskreis f. dt. Hausforschung, Bericht über die Tagung in Bayreuth vom 3.–6. 9. 1968, Münster 1969, 1–63

BICKELL, LUDWIG: Hessische Holzbauten. Marburg 1906

BURKHARDT, KURT u. KRÜGER, HERBERT: Das Altgießener Bürgerhaus. In: Mitt. d. Oberhess. Geschichtsvereins N. F. 47, 1962

EITZEN, GERHARD: Das Bauernhaus im Kreise Euskirchen. Euskirchen 1960

EITZEN, GERHARD: Rheinische Hausformen südlich der Hallenhausgrenze. In: Arbeitskreis f. dt. Hausforschung, Bericht über die Tagung in Aachen vom 30. 8.–2. 9. 1961, Münster i. W. 1962, 6–39

EITZEN, GERHARD: Rheinisches Fachwerk im 15. und 16. Jh. In: Rhein. Heimatpflege N. F. 6, 1969, 2–11

HANFTMANN, B.: Hessische Holzbauten. Marburg 1907

HELM, RUDOLF: Das Bürgerhaus in Nordhessen. Tübingen 1967 = Das dt. Bürgerhaus 9, hrsg. von A. Bernt

HENKELMANN, K.: Das Bauernhaus des Odenwaldes und des südlichen Deutschland. Darmstadt 1908

HOYER, ARWED: Rathaus und Bürgerhaus zu Frankenberg. In: Zeitschr. d. Ver. f. hess. Gesch. u. Landeskunde 69, 1958, 121–138

MEYER-BARKHAUSEN, WERNER: Das Rathaus zu Alsfeld und die Wende im hess. Fachwerkbau d. 16. Jh. In: Zeitschr. d. Ver. f. hess. Gesch. u. Landesk. 69, 1958, 87–98

OSSENBERG, HORST: Das Bürgerhaus im Bergischen Land. Tübingen 1963 = Das dt. Bürgerhaus 4, hrsg. von A. Bernt

RASCHDORFF, OTTO: Rheinische Holz- und Fachwerksbauten d. 16. und 17. Jahrhunderts. Berlin 1895

ROBISCHON, ROLF: Berichte über die Exkursionen am 10.–11. 9. 1966. In: Arbeitskreis f. dt. Hausforschung, Bericht über die Tagung in Trier vom 8.–11. 9. 1966, Münster 1967, 31–214

RUMPF, KARL: Marburger Bürgerhäuser im ausgehenden Mittelalter. In: Zeitschr. d. Vereins f. hess. Gesch. u. Landesk. 69, 1958, 99–120

SAGE, WALTER: Das Bürgerhaus in Frankfurt am Main bis zum Ende des Dreißigjährigen Krieges. Tübingen 1959 = Das dt. Bürgerhaus 2, hrsg. von A. Bernt

SCHIEFER, KILIAN: Der fränkische Kratzputz. München 1938 = Beitr. z. Volkstumsforschung

STEPHAN, ERNST: Das Bürgerhaus in Mainz. Tübingen 1974 = Das dt. Bürgerhaus 18, hrsg. von G. Binding

VOGTS, HANS: Das Bürgerhaus in der Rheinprovinz. Düsseldorf 1929

VOGTS, HANS: Die Fachwerkbauten im Moseltal. In: Die Mittelmosel; Rhein. Ver. f. Denkmalpflege u. Heimatschutz 1957, 136–153

WALBE, HEINRICH: Das hessisch-fränkische Fachwerk. Gießen 1954

WINTER, HEINRICH: Das Bauernhaus und das Kleinbürgerhaus im Lauterbacher Raum. In: Lauterbacher Sammlungen 22, 1950, 3–78

WINTER, HEINRICH: Hessischer Kratzputz. In: Hess. Heimat N. F. 2, 1952, 50–52

WINTER, HEINRICH: Das alte Hausgerüst im Untermaingebiet zwischen Aschaffenburg und Wertheim. In: Aschaffenburger Jb. f. Gesch., Landesk. u. Kunst d. Untermaingebiets 1953, 332–362

WINTER, HEINRICH: Das Fachwerkhaus Dalbergstraße 56 in Aschaffenburg. Ebd., 1955, 218–246

WINTER, HEINRICH: Das Bauernhaus des südlichen Odenwaldes vor dem 30jährigen Krieg. Essen o. J. (1957)

WINTER, HEINRICH: Mittelalterliche Bürgerhäuser in Hessen nördlich des Mains. In: Hess. Blätter f. Volkskunde 51/52, 1960, 281–348

WINTER, HEINRICH: Das Haus der Fischerzunft in Steinheim a. Main. In: Stadt- und Landkreis Offenbach a. M. Studien und Forschungen, hrsg. von K. Nahrgang, Frankfurt a. Main 1955/65, 137–143

WINTER, HEINRICH: Das Bürgerhaus zwischen Rhein, Main und Neckar. Tübingen 1961 = Das dt. Bürgerhaus 3, hrsg. von A. Bernt

WINTER, HEINRICH: Das Bürgerhaus in Oberhessen. Tübingen 1965 = Das dt. Bürgerhaus 6, hrsg. von A. Bernt

10. DER NIEDERSÄCHSISCHE FACHWERKBAU

BEHRENDSEN, OTTO: Darstellungen von Planetengottheiten an und in deutschen Bauten. Straßburg 1929 = Studien z. Kunstgesch. 236

BORCHERS, CARL u. WEIGEL, KARL THEODOR: Goslar, Alte Wohnbauten und Sinnbilder. Goslar 1935

BRINKMANN, A.: Die Holzbaukunst in Quedlinburg. In: Harzer Zeitschr. 27

BUSCH, RALF: Die Fachwerkbauten der Celler Altstadt. Celle 1965

CORDES, EDUARD: Die Fachwerkbauten der Stadt Celle. Diss. Berlin 1914

EBINGHAUS, HUGO: Das Ackerbürgerhaus der Städte Westfalens und des Wesertales. Dresden 1912

EDEL, H.: Die Fachwerkhäuser der Stadt Braunschweig. Braunschweig 1928

EITZEN, GERHARD: Alte Hausgefüge im nordöstlichen Niedersachsen. In: Harburger Jb. 4, 1950–51, 158–197

EITZEN, GERHARD: Die ältesten Hallenhausgefüge in Niedersachsen. In: Zeitschr. f. Volksk. 51, 1954, 37–66

ENGEL, HELMUT, DELONNE, AXEL u. GÜNTHER, EWALD: Das Haus „Zum Ochsenkopf" in Hann.-Münden. In: Niedersächs. Denkmalpflege 7, 1970–71, 131–149

FRICKE, RUDOLF: Das Bürgerhaus in Braunschweig. Tübingen 1974 = Das dt. Bürgerhaus 20, hrsg. von G. Binding, mit Lit.

GAUL, OTTO: Herforder Fachwerkbauten. In: Herforder Jb. 7, 1966, 48–69

GAUL, OTTO: Fächerrosette. In: Reallexikon z. dt. Kunstgesch. 6, 1972, 933–937

GOEHRTZ, EMIL: Das Bauernhaus im Reg.-Bez. Hannover und seinen Nachbargebieten. Oldenburg 1935

GOEHRTZ, EMIL: Das Bürgerhaus im Reg.-Bez. Hannover und seinen Nachbargebieten. Oldenburg i. O. 1941

GRIEP, HANS-GÜNTHER: Das Bürgerhaus in Goslar. Tübingen 1959 = Das dt. Bürgerhaus 1, hrsg. von A. Bernt, mit Lit.

HANSEN, WILHELM: Fachwerkbau im Oberweserraum. In: Kunst u. Kultur im Weserraum 800–1600. Katalog Corvey 1966, 1, 296 bis 312

HANSEN, WILHELM: Fachwerk der Weserrenaissance. In: Ostwestfälisch-weserländische Forschungen z. gesch. Landesk. 19, 1970, 225–243

KÖHLER, JOHANNES: Zwei Jahrhunderte Holzbaukunst in Hildesheim 1418–1628. Hildesheim 1926

LACHNER, CARL: Die Holzarchitektur Hildesheims. Hildesheim 1882

LACHNER, CARL: Der norddeutsche Holzbau in seiner historischen Entwicklung. Leipzig 1885 = Gesch. d. Holzbaukunst in Deutschland 1

LANGEMATZ, ROLF: Fachwerk in Werningerode. Weimar 1961

LIEBOLD, R.: Die mittelalterliche Holzarchitektur im ehem. Niedersachsen. Halle 1874

MÜTHER, HANS: Niedersächsische Fachwerk-Bürgerbauten am Nordharz. Dresden 1955

NORDHOFF, J. B.: Der Holz- und Steinbau Westfalens in seiner culturgeschichtlichen und systematischen Entwicklung. 2. Aufl. Münster 1873

POPPE, ROSWITHA: Das Osnabrücker Bürgerhaus. Oldenburg 1944

POPPE, ROSWITHA: Alt-Osnabrück – Seine Bürgerbauten und Straßenzüge. Osnabrück 1966

RÄDEKER, WILHELM: Lemgoer Häuser. Lemgo 1955

REIMERDERS, ERNST EDGAR: Das Hoppener Haus wird 400 Jahre alt. In: Celler Heimatkalender auf das Jahr 1939, 32–63

REUTHER, HANS: Bürgerliche Fachwerkhäuser der Renaissance an der Werra. In: Niederdt. Beitr. z. Kunstgesch. 11, 63–90

REUTHER, HANS: Das Fachwerkhaus in Hannoversch-Münden. In: Dt. Kunst u. Denkmalpflege 1964, 61–74

SCHEIBER, RICHARD: Das städtische Bürgerhaus Niedersachsens, Duderstadt, Einbeck, Gandersheim. Dresden 1910

SCHEPERS, JOSEF: Westfalen-Lippe. Münster 1960 = Haus und Hof deutscher Bauern 2

SCHEPERS, JOSEF: Westfalen in der Geschichte des nordwestdeutschen Bürger- und Bauernhauses. In: Der Raum Westfalen 4, 2, Münster 1965, 123–228

SCHLEE, ERNST: Wie man in Rendsburg im 16. und 17. Jahrhundert Häuser baute. In: Nordelbingen 14, 1938, 167–198

SONNEN, MAX: Holzbauten östlich der Weser. München 1926

STEIN, RUDOLF: Das Bürgerhaus in Bremen. Tübingen 1970 = Das dt. Bürgerhaus 13, hrsg. von G. Binding

STEINACKER, KARL: Die Holzbaukunst Goslars. Diss. Goslar 1899

SÜVERN, WILHELM: Torbögen und Inschriften lippischer Fachwerkhäuser. Detmold 1971 = Heimatland Lippe, Sonderheft 7 und Nachtrag in: Heimatland Lippe 64, 1971, 3, 114–116

234

TAESCHNER, TITUS: Das Braunschweiger Fachwerkhaus. Braunschweig 1953

THEOPOLD, HANS-BERNHARD: Der Quedlinburger Fachwerkbau. Quedlinburg 1957 = Museumsbücherei Quedlinburg 3

WEGE, GUSTAV: Der gotische Fachwerkbau in Halberstadt. Diss. Berlin 1913

WEIDHAAS, HERMANN: Fachwerkbauten in Nordhausen. Berlin 1955

WOLF, GUSTAV u. HERPIN, JOACHIM: Schleswig-Holstein. Berlin 1940 = Haus und Hof deutscher Bauern 1

ZIMMERMANN, H.: Graphische Vorlagen zu Holzschnitzereien an Braunschweiger Fachwerkbauten = Braunschweiger Magazin 3, 1928

11. DER MITTEL- UND OSTDEUTSCHE FACHWERKBAU

Bauernhofaufmaße: Brandenburg, Sachsen, Pommern, Schlesien, Ostpreußen. Münster 1959–68

BAUMGARTEN, KARL: Das Bauernhaus in Mecklenburg. Berlin 1965 = Veröffentl. d. Inst. f. dt. Volksk. 34

BEDAL, KARL: Das Umgebindehaus im nordöstlichen Bayern. In: Archiv f. Gesch. v. Oberfranken 48, 1968, 1–16.

BEDAL, KARL: Das Bauernhaus im Fichtelgebirge und im Vogtland. Bericht über die Exkursion vom 6. 9. 1968. In: Arbeitskreis f. dt. Hausforschung, Bericht über die Tagung in Bayreuth, Münster 1969, 75–103

BERGMANN, A.: Fachwerkbauten in der Nordostoberpfalz und im Egerland. Amberg 1972 = Oberpfälzer Monographien 4

DETHLEFSEN, RICHARD: Bauernhäuser und Holzkirchen in Ostpreußen. Berlin 1911

DEUTSCHMANN, EBERHARD: Lausitzer Holzbaukunst unter besonderer Würdigung des sorbischen Anteils. Bautzen 1959 = Schriftenreihe f. sorb. Volksforschung 11

DOERING, OSCAR: Alte Fachwerkbauten der Provinz Sachsen. Magdeburg 1903

FIEDLER, ALFRED u. HELBIG, JOCHEN: Das Bauernhaus in Sachsen. Berlin 1967 = Veröffentl. d. Inst. f. dt. Volkskunde 43

FIEDLER, ALFRED u. WEINHOLD, RUDOLF: Das schöne Fachwerkhaus Südthüringens. Leipzig 1956

FOLKENS, JOHANN ULRICH: Mecklenburg. Münster 1961 = Haus und Hof deutscher Bauern 3, hrsg. von G. Wolf

FRANKE, HEINRICH: Ostgermanische Holzbaukulturen. Breslau 1936

235

HAUKE, KARL: Das Bürgerhaus in Ost- und Westpreußen. Tübingen 1967 = Das dt. Bürgerhaus 8, hrsg. von A. Bernt

KULKE, ERICH: Die Laube als ostgermanisches Baumerkmal. München o. J. = Dt. Volksk., Schriftenreihe d. Arbeitsgemeinschaft f. dt. Volksk., Gruppe: Haus und Hof

LOEWE, LUDWIG: Schlesische Holzbauten. Düsseldorf 1969

MÜTHER, HANS: Baukunst in Brandenburg bis zum beginnenden 19. Jh. Dresden 1955 = Dt. Bauakademie, Schriften d. Inst. f. Theorie u. Gesch. d. Baukunst

RADIG, WERNER: Das Bauernhaus in Brandenburg und im Mittelelbegebiet. Berlin 1966 = Veröffentl. d. Inst. f. dt. Volksk. 38

SCHIER, BRUNO: Hauslandschaften und Kulturbewegungen im östlichen Mitteleuropa. 2. Aufl., Göttingen 1966

SCHMOLITZKY, OSKAR: Das Bauernhaus in Thüringen. Berlin 1968 = Veröffentl. d. Inst. f. dt. Volksk. 47

STEIN, RUDOLF: Das Bürgerhaus in Schlesien. Tübingen 1966 = Das dt. Bürgerhaus 7, hrsg. von A. Bernt

WOLFROM, ERICH: Das Bauernhaus im Magdeburger Land. Magdeburg 1937 = Magdeburger Kultur- u. Wirtschaftsleben 13

FOTO-NACHWEIS

Aufsberg/Sonthofen: 30, 31, 37, 70, 73, 77, 81, 86, 132, 134, 135

Bauer/Dinkelsbühl: 17

Beyer/Weimar: 195

Binding/Köln: 1–11, 13, 19–22, 24, 29, 40–46, 48, 49, 56, 57, 72, 127, 128 a–b, 151, 167, 171, 178 a–b, 179 a–b, 193, 194, 204, 205

Birker/Braunschweig: 99, 107, 123, 126, 146, 147, 155, 160

Brinke/Forchheim: 76

Bürgel/Köln: 203

Deutsche Fotothek/Dresden: 25, 186, 187

Dunkel/Eschwege: 78, 83–85

Foto Marburg: 64, 65, 67, 69, 79, 80, 90, 95–97, 100, 110, 111, 113, 117, 120–122, 124, 125, 129, 150, 152, 153, 158, 161, 164, 165, 173–177, 180–185, 188, 196, 197, 200

Hauptamt für Hochbauwesen/ Nürnberg: 26–28

Heinitz/Neuhausen: 18, 34

Höch/Coburg: 75

Holder/Urach: 14, 15

Hütter/Ravensburg: 23

Huxhold/Bretten: 12, 38, 39

Institut für Denkmalpflege/Berlin: 98, 106, 109, 115, 154, 172, 189

Jeiter/Aachen: 47

Kammerlander/Eppingen: 32, 33

Kiehnle/Eppingen: 93

Kuchen/Braunschweig: 166

Landesamt für Denkmalpflege Schleswig-Holstein: 144

Landesdenkmalamt Westfalen-Lippe: 105, 108, 114, 130, 136–143, 148, 149, 156, 159, 162, 163, 168–170, 190–192

Landeskonservator Hessen: 71, 91

Limmer/Bamberg: 87

Mainzer/Köln: 50 b, 58, 60, 61, 94, 131, 157, 206–208

Miesler/Lippstadt: 133

Müller/Kassel: 51

Muthesius/Hannover: 104

Pfistermeister/Birgland: 16

Schöning/Lübeck: 36, 59

Schubert/Braunschweig: 116, 118

Spielbrink/Mainz: 74

Staatl. Bildstelle/Berlin: 112

Staatl. Landesbildstelle/Hamburg: 145

Städt. Bilddienst/Braunschweig: 101–103, 119

Wandel/Wiesbaden: 92

Winter/Heppenheim: 50 a, 52–55, 62, 63, 66, 68, 82

Wirth/Calw: 35

Zeitz/Königssee: 88, 89

nach Phleps, Fachwerk: 201, 202

nach Bergmann, Fachwerkbauten: 198, 199

BAUTEN-VERZEICHNIS

Adelsbach/Niederschlesien: Z 158

Alpirsbach/Freudenstadt, Ambrosius-Blarer-Platz 5: Z 42; T 80

Altbachtal/Trier: 41

Altensteig/Calw, Marktplatz-Blumenstraße: T 13
  Schloß: Z 46, 48; T 20

Alsfeld, Rathaus: 118; T 59
  Amtshof 8: 104
  Hersfelder Str. 10/12: 100, 104; Z 90, 91; T 50 a, 51
  Markt 6: T 80, 81
  Obergasse 11: T 50 b
  Rittergasse 3/4: T 86

Alzey, Roßmarkt 10, Haus Zum Raben: Z 124
  Haus von 1561: 131

Aschaffenburg, Stiftsplatz: T 69

Auerbach/Bergstraße, Rathaus: 131

Bacharach/Rhein, Am Markt 61, „Altes Haus": Z 108; T 90

Bad Buchau im Federsee/Saulgau, Badstraße 10: Z 85

Bad Orb, Hauptstraße 28/30: Z 112

Bad Salzuflen, Langestr. 33: 174; Z 131

Basel, Petersberg: 43

Bauerbach/Karlsruhe, Rathaus: T 39

Bebenhausen/Tübingen, Kloster: 79

Bensberg-Refrath, St. Johann Bapt.: Z 39, 40

Berkach/Hessen, Rathaus: 118, 131; Z 106

Bernkastel/Mosel, Karlstraße 13: T 89
  Marktplatz: T 88

Beuren/Überlingen, Schwedenhaus: 51; Z 43

Bevern/Weser, Schloß: 178; Z 146; T 165

Bietigheim/Ludwigsburg, Schieringerstraße 13: 89; Z 82

Birkenau/Bergstraße, Rathaus: 131

Birnbach/Altenkirchen, Bauernhaus: 121; Z 105

Blomberg, Rathaus: 180; T 162, 163

Braunsberg/Ostpreußen, Magazingasse: T 196

Braunschweig: Z 133
  Alte Knochenhauerstraße 11: 161 f.; T 99
  Alte Knochenhauerstraße 13: T 100, 102, 103
  Alte Waage: 166; T 107
  Alte Waage 20: T 116
  Auguststr. 33: 166 ff.; T 118
  Burgplatz 2: T 155
  Burgplatz 2 a: 170, 178; Z 139; T 123, 124, 126
  Güldenstr. 7: T 166
  Güldenstr. 8: T 154
  Hagenbrücke 12: 168; T 119
  Hintern Brüdern 5/6: T 109
  Jakobstr. 2: Z 141

Langestr. 6: Z 140
Langestr. 9: 173; T 125
Oelschläger 29: T 101
Oelschläger 40: 166; T 115
Poststr. 6: T 188
Reichsstr. 7: 168, 172; Z 138;
    T 117
Sonnenstr. 8: T 172
Südstr. 4: 174; T 189
Wollmarkt 1: 164; T 106
Breberen/Selfkantkreis, St. Mater-
    nus: Z 38
Bremen, Brückenstr. 12: Z 145
Brenz, St. Gallus: Z 38
Brunsbüttel, Haus Müller: 182;
    Z 148
Bruttig/Mosel, Schunksches Haus:
    Z 121
Büdingen/Hessen, Rathaus: 114;
    Z 99
    Schloßgasse 11: 115; Z 100;
    T 69
Büttelborn/Hessen, Rathaus: 131
Buggenum/Holland, St. Aldegun-
    dis: Z 38
Burgkunstadt/Lichtenfels, Rathaus:
    T 87
Butzbach/Hessen, Rathaus: 118

Calw, Ledergasse 39: 86; Z 79;
    T 35
Camberg: Z 115
Celle, Poststr. 8: 172; T 120, 121
    Kanzleistr. 15: T 161
Cramberg/Biedenkopf: Z 126

Delbrück/Paderborn, Valepagen-
    hof: T 142
Dietenbach/Kirchzarten: Z 51
Diever/Holland, Kirche: Z 38
Dinkelsbühl: Z 46

Deutsches Haus: T 37
    Kornhaus: 74, 79; Z 69; T 17
Doveren/Erkelenz, St. Dionysius:
    Z 38
Drensteinfurt/Lüdinghausen, „Alte
    Post": 184; T 191, 192
Dürrmenz/Vaihingen, Bauernhaus:
    Z 83
Dürrn/Pforzheim, Kirche: Z 46

Ebermannstadt/Oberfranken,
    Markt 21: Z 84
Ediger/Mosel, Oberbachstr. 174:
    131; Z 113
Engstlatt/Nagold, Hechingerstr. 11:
    T 44 b
Ellecom/Gelderland, St. Nikolaus:
    Z 39
Elten/Niederrhein, Burg: 43 ff.;
    Z 36, 37, 39, 40
Enzweihingen/Vaihingen: Z 81
Eppingen/Sinsheim, Altstadtstr. 5:
    T 12
    Baumannsches Haus: T 32, 33
    Marktplatz 2: T 41
Ersingen/Pforzheim, Speicher:
    Z 46
Eschwege, Berggasse/Stad 44: T 83
    Marktplatz: T 78
    Marktplatz 20: T 84, 85
Esslingen, Rathaus: 37; Z 46, 49

Feldatal-Ermenrod/Hessen, Ev.
    Kirche: T 94
Forchheim, Rathaus: T 25
    Bamberger Str. 1: T 72
    Frechshaus: T 25
    Wiesenstr. 10: T 76
Frankenberg/Eder, Rathaus: 118;
    T 58, 60
    Steingasse 1: T 63

Frankfurt/Main, Römerberg, Salz-
   haus: 126; Z 110
   Rotekreuzgasse 1: Z 115
   Saalhof: 132 ff.; Z 119
   Haus Silberberg: 132
Freystadt/Schlesien, Gnadenkirche:
   45
Friedensdorf/Biedenkopf: Z 128
Fritzlar, Gießener Str. 25: T 66

Geisenheim: Z 116
Geislingen/Steige, Bau: 37, 79;
   Z 17, 46, 71; T 16
   Zoll: Z 46, 49
Gelnhausen, Altes Brauhaus: 102;
   Z 13
   Alte Stadtschreiberei: 102
   Kuhgasse 1: 102 ff.; Z 13, 92;
   T 1, 48, 49
Gemonde/Brabant, St. Lambertus:
   Z 38
Gemünden/Hessen, Marktplatz:
   Z 22
   Steinweg 25: T 53
Georgenberg/Oberösterreich, St.
   Georg: Z 38
Gießen, Rathaus: 118
   Neues Schloß: 118; Z 103
   Kirchstr. 2: 104; Z 13, 91;
   T 52 b
Gladbach/Neuwied: 44
Gleichamberg/Hildburghausen,
   Haus 6: Z 151
Glogau/Schlesien, Friedenskirche:
   45
Goldberg/Niederschlesien: Z 156
Goslar, Bäckerstr. 2/3: T 150
   Brusttuch: 170; T 122
   Marktstr. 1: 163, 172; T 110,
   111
Gossengrün/Egerland: T 199

Grenzau/Westerwald, Haus 13,
   Gasthaus zur Burg: Z 118
Grötzingen/Karlsruhe, Alte Schule:
   T 24
Großenlinden/Gießen, Pfarrhaus:
   Z 95
Groß-Gerau/Hessen, Rathaus:
   131
Grünberg/Hessen, Alsfelderstr. 1/3:
   Z 23
Grünfliess/Oberschlesien: Z 157
Günterod/Biedenkopf: Z 127
Gutach, Vogtbauernhof: Z 46

Haina/Meiningen, Haus 8: Z 152
Haithabu/Schleswig: 43
Halberstadt, Fischmarkt, Ratskel-
   ler: 162; Z 12, 134; T 97
   Hoher Weg 1: T 153
   Holzmarkt 8: T 152
   Woort 1: T 129
Halle, Stadtwaage: Z 142
Haltenhofen/Fürstenfeldbruck,
   Schreinerhaus: Z 46
Hamburg-Bergedorf, Gasthof Stadt
   Hamburg: T 145
Hameln: Z 11
   Hauptstr. 8: T 127, 128
Hanau, Altstädter Rathaus: 119
   Erbsengasse 1: 119
Hannoversch-Münden, Langestr.
   21: Z 147
   Kirchplatz 4: 176; Z 143
   Sydekumstr. 8: 154; Z 132
Heilsberg/Ostpreußen, Schulstr. 10:
   T 200
   Neustadt, Speicher: Z 163
Heppenheim/Bergstraße, Sieben-
   bürger Hof: 94
   Marktplatz: T 77
Herford, Brüderstr. 26: T 114

Herrenberg, Marktplatz/Stuttgar-
ter Str.: T 45
Rohrau: T 28
Hildesheim, Altemarktstr. 54: T 95
Andreasplatz, Pfeilerhaus: T 181
Andreasplatz 19: T 184
Godehardiplatz 12: T 177–179
Hoher Weg 35: T 182, 183
Markt, Knochenhaueramtshaus:
154 f., 168 ff.; Z 135, 136;
T 112, 113
Markt, Haus Wedekind: 180;
T 174
Neustädter Markt 27: T 176
Osterstr. 7: T 175
Rolandspital: T 180
Trinitatishospital: 162, 164; T 96
Wollenweberstr. 23: 180; T 173
Wollenweberstr. 61: T 185
Hochemmerich/Rheinhausen, St.
Peter: 45; Z 39, 40
Hohe Schanze/Winzenburg, Burg:
Z 39
Holl/Schwarzwald, Gasthaus zum
Hirschen: Z 4
Homberg/Efze, Gasthaus zur Kro-
ne: T 67
Homberg/Ohm, Rathaus: T 61
Hornburg/Wolfenbüttel, Damm 7:
184; T 193, 194
Marktplatz 12: T 171
Marktstr. 16: T 151
Wasserstr. 7: T 104
Höxter, Rathaus: T 164
Küsterhaus a. d. Kilianskirche:
T 132
Marktstr. 1: T 108
Marktstr. 21: 176; T 135
Nikolaistr. 10: T 134
Westerbachstr. 2: T 108
Westerbachstr. 4: T 140

Husterknupp/Köln: 43

Immenstaad/Bodensee, Schwörerhaus: 56, 62 ff., 79; Z 52–56;
T 7, 8

Jauer/Schlesien, Friedenskirche:
45

Kassel, Klosterstr. 11: T 79
Kayh/Böblingen, Rathaus: T 22
Kiedrich/Rheingau, Oberstr. 1:
T 92
Kirchhain/Hessen, Rathaus: Z 26;
T 62
Borngasse 20: T 82
Kirchheim/Teck, Roßmarkt: T 40
Kobern/Mosel, Kirchstr. 1, Haus
Simonis: 105 f.; Z 93
Kirchstr. 18: Z 117
Königsberg/Ostpreußen, Lastadien-
str.: T 197
Köln, St. Gereon: 42
St. Severin: 42
Kaesenstr. 4: T 203
Konstanz, Brückengasse 3: T 204
Kraftried/Allgäu: Z 12
Krefeld-Fischeln, St. Clemens:
Z 39
Kröv/Mosel, Dreigiebelhaus: T 93
Kronach/Oberfranken, Amtsge-
richtsstr. 21: T 74
Kühndorf/Suhl, Haus 51: Z 153

Laubach/Hessen, Untergasse 1/3:
104; T 52 a
Laurenzberg/Aachen, St. Lauren-
tius: Z 38
Lauterbach/Kinzig, Hansenhof:
Z 46
Lehrna/Sachsen-Altenburg: Z 154

Lemgo, Breitestr. 45: T 139
  Breitestr. 47: T 141
  Echterstr. 92: T 170
  Echterstr. 117: T 143
  Mittelstr. 13: T 168
  Mittelstr. 27: T 138
  Mittelstr. 36: T 149
  Papenstr. 32/34: T 169
Lich/Hessen, Hüttengasse 4: 106;
  Z 94
Linz/Rhein, Hundelsgasse 12: Z 122
Lippstadt, Langestr. 12: T 133
  Poststr. 5: T 156
Lütjenburg/Plön, Markt 12: T 144
Luzern, Brückensteg: 37

Mainz, Köttengasse, „Zur Trom-
  mel": 126
  Korbgasse 3: Z 114
  Löhrstr. 14: Z 125
Marburg, Hirschberg 14: Z 23
  Markt 11: T 206, 207
  Markt 14: T 54
  Markt 19: T 64
  Obermarkt: T 65
  Roter Graben 15: T 55
  Schäfersches Haus: 96, 100–104;
    Z 13, 87–89
  Schloßsteig/Wettergasse, Fischers
    Häuschen: Z 101
  Steinweg 8: T 208
Markgröningen, Rathaus: 52; Z 42
  Fruchtscheuer: 79; Z 72
Markzeulen/Lichtenfels, Haus 137:
  T 75
Maulbronn, Kloster: Z 46
Meer/Büderich, Burg: 43; Z 9
Meersburg/Bodensee, Steigstr.: T 30
  „Zu den drei Stuben": T 31
Merzdorf/Uhyst/Niederschlesien,
  Kirche: Z 41

Meßkirch/Stockach, Hauptstr. 32:
  T 46
Michelstadt/Odenwald, Rathaus:
  116 ff.; Z 102; T 47, 56, 57
Militsch/Schlesien, Gnadenkirche: 45
Milkulčice/Tschechoslowakei, Kir-
  che: Z 39
Miltenberg/Main, Gasthof zum
  Riesen: 119; T 73
  Am Schnatterloch, Hohes Haus:
    118; T 70
  Stapelhaus: 110
Mölln, Markt 1: T 160
  Markt 2: T 146, 147
Mosbach, Alte Brauerei: 110
  Altes Spital: 110
  Palmsches Haus: T 36
Münstereifel, Kirche: Z 39
  Haus Haag: 132
Münzesheim/Bretten: Z 46
Muizen/Belgien, St. Lambert:
  Z 38
Murrhardt/Backnang, Waltherichs-
  kirche: Z 38

Nagold/Calw, Haus: 52; Z 44, 45
  Turmstr. 18: T 34
Niederbachem/Bonn, St. Gereon:
  Z 39, 40
Nienburg/Weser: Z 11
Nördlingen, Kürschnerhaus: 37
  Marktplatz 1: 75, 79; Z 70
Nordhausen/Harz: Z 12
Nürtingen, Strohstr. 2: T 43
  Tübingerstr.: T 205
Nürnberg, Burgstr. 15, Fembo-
  haus: Z 32
  Dürerhaus: 56, 80; Z 74
  Kartäusergasse: T 27 a
  Mauthalle: 79
  Marstall: T 27 b

Panierplatz 20: T 26
Untere Kreuzgasse 4: 79; Z 73

Oberndorf/Egerland: Z 162
Oberschwandorf/Nagold, Haupt-
straße: T 44 a
Oestrich/Rheingau, Rheinallee 5:
T 91
Osterspai/Rhein, Haus 108,
Schnatzsches Haus: 119; Z 109

Paderborn, Abdinghof: 45, Z 39,
40
Hathumarstr. 7: T 137
Palenberg/Aachen, St. Petrus:
Z 38
Pfullendorf, Schoberhaus: 56, 65;
Z 57–60; T 4–6
Pier/Düren, St. Martin: Z 38
Prechtal/Schwarzwald, Raubauern-
hof: Z 4

Ravensburg, Heimatmuseum: T 23
Reichenau-Mittelzell/Bodensee,
Rathaus: Z 10, 15, 46, 47 a, 50;
T 2, 3
Reichenberg/Sudetenland: Z 161
Rhens/Rhein, Langgasse 39: Z 129
Rathausplatz 1: Z 12, 123
Riedlingen/Saulgau, Alte Kaserne:
85; Z 46, 78
Rinteln, Kirchplatz: T 167

Sagan, Gnadenkirche: 45
Schenkendorf/Niederschlesien:
Z 160
Schieder/Detmold, Kornhaus: Z 144
Schönberg/Schlesien, Markt: T 201
Schotten/Hessen, Rathaus: 118
Schwäbisch-Gmünd, „Die Grät":
Z 46

Gotteszell: Z 46
Kornhaus: Z 46
Marktplatz: T 21
Schwäbisch-Hall, Haus: Z 47 b
Schweidnitz/Schlesien, Friedens-
kirche: 45
Seeheim/Darmstadt, Rathaus: 131
Seligenstadt/Main, Freihofgasse 3:
119; Z 107; T 71
Sindelfingen/Böblingen, Hinter-
gasse 9: Z 64; T 18
Obere Vorstadt: Z 35
Untere Burggasse 3: Z 66, 67;
T 19
Soest, Grandweg 38: T 158
Markt 10/11: T 159
Petrihof 8: T 131
Rosenstr. 2: T 157
Solingen, St. Clemens: Z 39
Solnhofen, St. Salvator: Z 38
Sonderau/Rhön: Z 120
Spalt/Schwabach, Speicher: 79
Spangenberg/Hessen, Am Markt
198, Haus Kurzrock: Z 86
Stalle/Marienburger Werder: T 202
Staßfeld/Euskirchen, Haus des
Antoniterhofes: 120; Z 104
Stein am Kocher/Mosbach, Schmie-
de: T 38
Stein/Pforzheim, Neue Brettener
Str. 3: Z 46
Steinheim/Main, Brauhausstr. 1:
112 f.; Z 96–98
Steinkirchen, Haus 101: 182;
Z 149
Straßburg, Münsterplatz, Haus
Kammerzell: 81, 126
Killingerhaus: 126
Strümpfelbach/Waiblingen, Rat-
haus: 83; Z 76
Weingärtnerhaus: 82; Z 75

Stürzikon/Empach/Zürich: Z 46
Stuttgart, Herrschaftskelter: Z 46

Tangermünde, Kirchstr. 23: T 186
Tostedt/Harburg, Kirche: Z 38
Treffurt/Thüringen, Torstr.: T 195
Trier, Hauptmarkt 22/23: Z 111
Tübingen, Rathaus: T 9
  Schmiedtorstr.: T 10, 11
  Speicher: Z 46
Türkheim, Kirche: Z 38

Uhlbach/Stuttgart, Rathaus: 84;
  Z 77
Unterlosau/Egerland, Hof 5: T 198
Urach/Reutlingen, Beim Bade 2:
  71; Z 65; T 15
  Kirchstr. 7: T 14
Usingen, Haus neben Rathaus:
  Z 116

Vachdorf/Meiningen, Haus 113:
  Z 150

Waldau/Niederschlesien, Haus 66:
  Z 159

Wangen am Untersee/Überlingen:
  68; Z 61–63
Warburg, Kohlscheinstr. 8: T 105
Warendorf/Münster, Siedlung: 44;
  Z 34
Wardt/Xanten, St. Willibrord: Z 39
Wehrheim/Wiesbaden: Z 116
Weinheim/Bergstraße,   Adelshof:
  102
Weissenbrunn, Am Forst 4: Z 155
Wengern/Hagen, Haus 119: T 190
Werningerode/Harz, Breite Str. 72:
  182; T 187
Wertheim/Main, Rathausgasse 14:
  110
Wesel, St. Willibrord: Z 39
Wiedenbrück, Lange Str. 93: T 130
  Mönchstr. 8: T 136
Wimpfen/Neckar, Badgasse: T 29
  Heiliggeisthof: Z 46

Xanten/Moers, St. Victor: 40 f.;
  Z 39

Zimmern/Stebbach/Sinsheim, Kirche: Z 38

TAFELTEIL

1   Gelnhausen, Kuhgasse 1, ältestes erhaltenes Fachwerkhaus, 1351

2 Reichenau-Mittelzell, Rathaus, ehemaliges Vogteihaus, 15. Jh.

3 Reichenau-Mittelzell, Rathaus, ehemaliges Vogteihaus, 15. Jh.

4 Pfullendorf, Schoberhaus, 15. Jh.

5 Pfullendorf, Schoberhaus, 15. Jh.

6 Pfullendorf, Schoberhaus, 15. Jh.

7 Immenstaad/Bodensee, Schwörerhaus, 1528

8 Immenstaad/Bodensee, Schwörerhaus, 1528

9 Tübingen, Rathaus, 1435

10 Tübingen, Schmiedtorstraße

11 Tübingen, Schmiedtorstraße

12 Eppingen/Kr. Sinsheim, Altstadtstraße 5, 15. Jh.

13 Altensteig/Kr. Calw, Marktplatz – Blumenstraße

14 Urach, Kirchgasse 7, Handelshäuser, links vor 1571, rechts um 1600

15 Urach, Beim Bad 2, Apotheke, 15. Jh., Fenster später

16 Geislingen a. d. Steige, Bauhof, ehemaliger Fruchtkasten, Anfang 16. Jh.

17 Dinkelsbühl, Kornhaus, 1508

18 Sindelfingen, Hintere Gasse 9, 15. Jh., Unter- und Oberstock verändert

19 Sindelfingen, Untere Burggasse 3/Turmgasse, noch 15. Jh.

20 Altensteig/Kr. Calw, Schloß, Anfang 16. Jh.

21 Schwäbisch Gmünd, Marktplatz, Amtshaus des Heilig-Geist-Spitals, 1497

22 Kayh/Kr. Böblingen, Rathaus, 1550

23 Ravensburg, Heimatmuseum, gotisches Zimmer mit Balkenbohlendecke

24 Grötzingen/Kr. Karlsruhe, Altes Schulhaus, 16. Jh.

25 Forchheim, Marktplatz, links Rathaus von Hans Ruhalm 1535,
rechts Frechshaus 15. Jh.

26 Nürnberg, Paniersplatz 20, Grolandhaus, 1484,
Giebel 2. Hälfte 16. Jh. (Zustand 1904)

27 a Nürnberg, Kartäusergasse, Gartenhaus des Michael Hanoldt,
Aufstockungsgesuch von 1629, die beiden unteren Stockwerke 15. Jh.

27 b Nürnberg, Münzstätte im Marstall, Zeichnung 1560/70

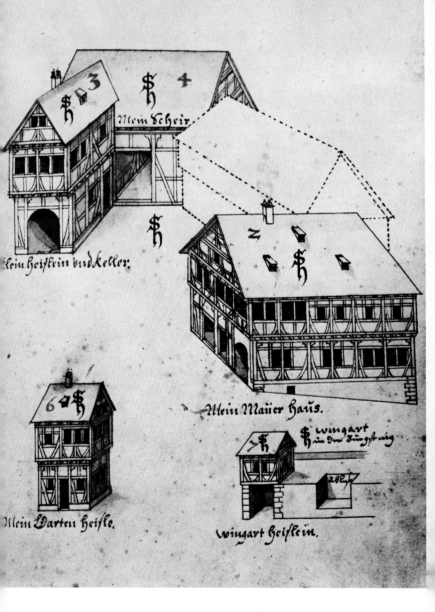

28 Herrenberg, Meierei in Rohrau, aus Schickhardts Inventarium 1630

29 Wimpfen, Badgasse, Gorjupinsches Haus, um 1600

30 Meersburg, Steigstraße, 16./17. Jh.

31 Meersburg, Zu den drei Stuben, 16. Jh.

32 Eppingen/Kr. Sinsheim, Baumannsches Haus, 1582/83

33 Eppingen/Kr. Sinsheim, Baumannsches Haus, 1582/83

34 Nagold, Turmstraße 18, Alte Schule, 1706

35 Calw, Ledergasse 39, Wohn- und Handelshaus, 1694

36 Mosbach, Palmsches Haus, 1610

37 Dinkelsbühl, Deutsches Haus, um 1600

38 Stein/Kr. Mosbach, Schmiede, 1587

39 Bauerbach/Kr. Karlsruhe, Rathaus, 1585

40 Kirchheim/Teck, Roßmarkt, Ende 16. Jh.

41 Eppingen/Kr. Sinsheim, Marktplatz 2, 1588

42 Alpirsbach, Ambrosius-Blarer-Platz 5, „Altes Schloß", 17. Jh.,
Umbau 1708

43 Nürtingen, Strohstraße 2, Alte Schmiede, 1676

44 a Oberschwandorf/Kr. Nagold, Hauptstraße, 17. Jh.

44 b Egstlatt/Kr. Nagold, Hechinger Straße 11, 17. Jh.

45 Herrenberg, Marktplatz/Stuttgarter Straße, Mitte 17. Jh.

46 Meßkirch/Kr. Stockach, Hauptstraße 32, 16. und 17. Jh.

47 Michelstadt, Rathaus, 1484

48 Gelnhausen, Kuhgasse 1, 1351

49 Gelnhausen, Kuhgasse 1, 1351

50 a Alsfeld, Hersfelder Straße 10/12, um 1370
50 b Alsfeld, Obergasse 11, um 1420

51 Alsfeld, Hersfelder Straße 10/12, um 1370, Erdgeschoß 17. Jh.

52 a Laubach, Untergasse 1/3, 15. Jh.
52 b Gießen, Kirchstraße 2, Burgmannenhaus, noch 14. Jh.?

53 Gemünden, Steinweg 25, 15. Jh.

54 Marburg, Marktplatz 14, Gasthof zur Sonne, 1600

55 Marburg, Roter Graben 15, Ende 16. Jh.

56 Michelstadt, Rathaus, 1484

57 Michelstadt, Rathaus, 1484, Rückfront

58 Frankenberg, Rathaus, 1421, 1509 erneuert

59 Alsfeld, Rathaus, 1512–16 von Meister Johann

60 Frankenberg, Rathaus, Knagge, 1421

61 Homberg a. d. Ohm, Rathaus, 1539

62 Kirchhain, Rathaus, 1562

63 Frankenberg, Steingasse 1, 1564

64 Marburg, Markt 19, 1566

65 Marburg, Obermarkt, 16./17. Jh.

66   Fritzlar, Gießener Straße 25, Ende 15. Jh.

67 Homberg a. d. Efze, Gasthaus zur Krone, 1480

68 Büdingen, Schloßgasse 11, Ende 15. Jh.

69 Aschaffenburg, Stiftsplatz, um 1500

70 Miltenberg am Main, Marktplatz, 16. Jh.

71 Seligenstadt am Main, Freihofgasse 3, 1567

72 Forchheim, Bamberger Straße 1, 1611 von Paul Keit

73 Miltenberg am Main, Gasthaus zum Riesen, 1590

74 Kronach/Oberfranken, Amtsgerichtsstraße 21, 1679

75 Markzeulen/Kr. Lichtenfels, Haus 137, 1697

76 Forchheim, Wiesentstraße 10, Klappmühle, um 1700

77 Heppenheim/Bergstraße, Marktplatz, Liebig-Apotheke, 1700

78 a, b Eschwege, Marktplatz, 2. Hälfte 17. Jh.

79 Kassel, Klosterstraße 11, um 1600

80 Alsfeld, Markt 6, 1609

81 Alsfeld, Markt 6, 1609

82 Kirchhain, Borngasse 20, 1612

83 Eschwege, Berggasse/Stad 44, 1679

84 Eschwege, Marktplatz 20, 2. Hälfte 17. Jh.

85 Eschwege, Marktplatz 20, 2. Hälfte 17. Jh.

86 Alsfeld, Rittergasse 3/4, 1688

87 Burgkunstadt/Kr. Lichtenfels, Rathaus, 1689/90 von Hans Gebelein
und Jörg Hotmann

88 Bernkastel a. d. Mosel, Marktplatz

89 Bernkastel a. d. Mosel, Karlstraße 13, 2. Hälfte 16. Jh.

90 Bacharach, Am Markt 61, 1568

91   Oestrich/Rheingau, Rheinallee 5, Gasthaus Zum Schwan, 1628

92 Kiedrich/Rheingau, Oberstraße 1, 1591?

93 Kröv a. d. Mosel, Dreigiebelhaus, 1658

94 Feldatal-Ermenrod/Hessen, evangelische Pfarrkirche 1735 und 1776

95 Hildesheim, Altemarktstraße 54, 1418

96 Hildesheim, Trinitatishospital, gemauerter Unterbau 1334,
Fachwerkaufbau 1459

97 Halberstadt, Fischmarkt, Ratskeller, 1461

98 Braunschweig, Alte Knochenhauerstraße 11, 1470,
Zwerchhäuser jünger

99 Braunschweig, Alte Knochenhauerstraße 11, 1470

100 Braunschweig, Alte Knochenhauerstraße 13,
Gasthof Ritter St. Georg, 1489

101 Braunschweig, Oelschläger 29, um 1490, Oberstock und Zwerchhaus, 1645.
Ursprünglich Hinter der Magnikirche 1, nach Verpflanzung reduzierter
Wiederaufbau 1913

102 Braunschweig, Alte Knochenhauerstraße 13, 1489

103 Braunschweig, Alte Knochenhauerstraße 13, 1489

104   Hornburg/Kr. Wolfenbüttel, Wasserstraße 7, 1508

105 Warburg, Kohlscheinstraße 8, 1530

106 Braunschweig, Wollmarkt 1, 1524

107 Braunschweig, Alte Waage, 1534

108 Höxter, links Westerbachstraße 2, rechts Marktstraße 1, 1548

109 Braunschweig, Hintern Brüdern 5/6, um 1483, auf den Schwellen
Zitate aus der Vulgata

110   Goslar, Marktstraße 1, 1526

111 Goslar, Marktstraße 1, 1526

112 Hildesheim, Knochenhaueramtshaus, 1529

113 Hildesheim, Knochenhaueramtshaus, 1529

114 Herford, Brüderstraße 26, sogenanntes Remensniderhaus, 1521

115 Braunschweig, Oelschläger 40, 1530, Zwerchhaus später

116 Braunschweig, Alte Waage 20, Anfang 16. Jh.

117 Braunschweig, Reichsstraße 7, 1. Drittel 16. Jh.

118 Braunschweig, Auguststraße 33, 1517

119 Braunschweig, Hagenbrücke 12, 1523

120 Celle, Poststraße 8, Hoppener Haus, 1532

121 a, b Celle, Poststraße 8, 1532, Ausschnitte vom 2. und 1. Oberstock

122   Goslar, Brusttuch, 1526

123 Braunschweig, Burgplatz 2a, sogenanntes Huneborstelsches Haus,
1536, 1902 aus dem Sack hierhin verpflanzt

124 Braunschweig, Burgplatz 2a, sogenanntes Huneborstelsches Haus,
1536, 1902 aus dem Sack hierhin verpflanzt

125 Braunschweig, Lange Straße 9, 1536

126 Braunschweig, Burgplatz 2 a, Rückseite, um 1540,
1907 aus dem Sack 8/9 hierhin verpflanzt

127 Hameln, Hauptstraße 8, 1558

128 a, b Hameln, Hauptstraße 8, 1558, Ausschnitte, Eckknaggen

129 Halberstadt, Woort 1, Mitte 16. Jh.

130   Wiedenbrück, Lange Straße 93, 1559

131 Soest, Petrihof 8, sogenanntes Stadtjägerhaus, 1574

132 Höxter, ehemaliges Küsterhaus an der Kilianskirche, 1565

133 Lippstadt, Lange Straße 12, 1566

134 Höxter, Nikolaistraße 10, 1565

135 Höxter, Marktstraße 21, ehemalige Dechanei, 1561

136 Wiedenbrück, Mönchstraße 8, 1576

137 Paderborn, Hathumarstraße 7, Ende 16. Jh.

138 Lemgo, Mittelstraße 27, Giebel 1569, 1. Oberstock 1598 umgebaut

139 Lemgo, Breite Straße 45, 1576

140   Höxter, Westerbachstraße 4, 1578

141 Lemgo, Breite Straße 47, 3. Viertel 16. Jh.

142 Delbrück/Kr. Paderborn, Valepagenhof, 1577

143 a, b Lemgo, Echternstraße 117, ehemaliger Adelshof von Gevekot, um 1585/90

144   Lütjenburg, Markt 12, 1576

145 Hamburg-Bergedorf, Gasthof Stadt Hamburg, Ende 16. Jh.,
hinterer Teil mit Giebelfront um 1700

146 Mölln, Markt 2, sogenanntes Eulenspiegelhaus, 1582

147 Mölln, Markt 2, sogenanntes Eulenspiegelhaus, 1582

148 Lemgo, Papenstraße 48, um 1580

149   Lemgo, Mittelstraße 36, sogenanntes Planetenhaus, um 1590

150 Goslar, Bäckerstraße 2, 1606 (links) und 3, 1592 (rechts)

151 Hornburg/Kr. Wolfenbüttel, Marktstraße 16, 1594

152 Halberstadt, Holzmarkt 8, sogenannter Stelzfuß, 1576

153 Halberstadt, Hoher Weg 1, 1594

154 Braunschweig, Güldenstraße 8, um 1560

155 Braunschweig, Burgplatz 2, 1578

156 Lippstadt, Poststraße 5, sogenanntes Metzgeramtshaus, 1574

157 Soest, Rosenstraße 2, sogenanntes Freiligrath-Haus, 2. Hälfte 16. Jh.

158 Soest, Grandweg 38, 1569

159 Soest, Markt 10/11, Ende 16. Jh.

160 Mölln, Markt 1, 1632

161 Celle, Kanzleistraße 15, 1580

162 Blomberg, Rathaus, 1586/87, Ostgiebel

163 Blomberg, Rathaus, 1586/87

164 Höxter, Rathaus, um 1610

165 Schloß Bevern bei Holzminden/Weser, 1603/12, Innenhof

166 Braunschweig, Güldenstraße 7, 1550

167   Rinteln, Kirchplatz, 1565

168   Lemgo, Mittelstraße 13, 1591

169 Lemgo, Papenstraße 32 und 34, Ende 16. Jh.

170 Lemgo, Echternstraße 92, 1591

171 Hornburg/Kr. Wolfenbüttel, Marktplatz 12, 1621

172 Braunschweig, Sonnenstraße 8, 1641

173   Hildesheim, Wollenweberstraße 23, sogenanntes Landsknechtshaus, 1554

174 Hildesheim, Haus Wedekind am Markt, 1598

175 Hildesheim, Osterstraße 7, um 1600

176 Hildesheim, Neustädter Markt 27, 1601

177 Hildesheim, Godehardiplatz 12, 1606

178 a, b Hildesheim, Godehardiplatz 12, 1606,
Brüstungsfeld mit allegorischer Darstellung: Hoffnung und Glaube

179 a, b Hildesheim, Godehardiplatz 12, 1606,
Brüstungsfeld mit allegorischer Darstellung: Nächstenliebe und Geduld

180 Hildesheim, ehemaliges Rolandspital, 1611

181 Hildesheim, sogenanntes Pfeilerhaus am Andreasplatz, 1623

182 Hildesheim, Hoher Weg 35, 1612

183   Hildesheim, Hoher Weg 35, 1612

184 Hildesheim, Andreasplatz 19, 1615

185   Hildesheim, Wollenweberstraße 61, 1622/24

186 Tangermünde, Kirchstraße 23, 1619

187 Werningerode, Breite Straße 72, sogenanntes Krümmelsches Haus, 1674

188 Braunschweig, Poststraße 6/Jakobstraße, 2. Hälfte 16. Jh.

189 Braunschweig, Südstraße 4, um 1640

190 Wengern/Kr. Hagen, Haus Nr. 119, Gasthof Lohmann,
Unterstock 1541, Oberstock 1621

191 Drensteinfurt/Kr. Lüdinghausen, sogenannte Alte Post, Mitte 17. Jh.,
Straßenfront

192 Drensteinfurt/Kr. Lüdinghausen, sogenannte Alte Post, Mitte 17. Jh., Rückfront

193 Hornburg/Kr. Wolfenbüttel, Damm 7, 1672

194 Hornburg/Kr. Wolfenbüttel, Damm 7, 1672

195 Treffurt/Thüringen, Torstraße, 1610

196 Braunsberg/Ostpreußen, Magazingasse, alte Speicher, 18. Jh.

197 Königsberg/Ostpreußen, Lastadienstraße, alte Speicher, 17./18. Jh.

198 Unterlosau/Egerland, Hof Nr. 5, um 1815

199 Gossengrün/Egerland, Ende 18. Jh.

200 Heilsberg/Ostpreußen, Schulstraße 10, 17./18. Jh.

201 Schönberg/Schlesien, Markt, 18. Jh.

202 Stalle/Marienburger Werder, um 1700

203 Köln, Kaesenstraße 4, um 1900

204 Konstanz, Brückengasse 3, um 1900

205 Nürtingen, Tübingerstraße, Mitte 19. Jh.

206 Marburg, Markt 11, 1884

207 Marburg, Markt 11, 1884

208 Marburg, Steinweg 8, um 1900